D0968279

Sans tabou

VICKI LEWIS THOMPSON

Sans tabou

COLLECTION

Audace

Cet ouvrage a été publié en langue anglaise
sous le titre :
ACTING ON IMPULSE

Traduction française de
FRANCINE MAIGNE

HARLEQUIN®

est une marque déposée du Groupe Harlequin
et Audace® est une marque déposée d'Harlequin S.A.

Toute représentation ou reproduction, par quelque procédé que ce soit, constituerait une contrefaçon sanctionnée par les articles 425 et suivants du Code pénal.
© 2002, Vicki Lewis Thompson. © 2004, Traduction française : Harlequin S.A.
83-85, boulevard Vincent-Auriol, 75013 PARIS — Tél. : 01 42 16 63 63
Service Lectrices — Tél. : 01 45 82 47 47
ISBN 2-280-17424-3

Prologue

Et voilà. Tous ses beaux plans tombaient à l'eau !

Faisant contre mauvaise fortune bon cœur, Trudy Baxter attrapa une autre coupe de champagne et tenta de profiter au mieux de la cérémonie. Cette fois, elle pouvait dire définitivement adieu à son projet de colocation avec Meg ! En janvier, elle irait habiter seule New York — et seule encore, elle expérimenterait cette vie libre et délurée dont elles avaient si souvent rêvé ensemble. Au cours de ces six derniers mois, elle avait presque espéré que Meg finirait par renoncer à épouser Tom. Mais après avoir vu la quasi-totalité de la petite bourgade de Virtue s'engouffrer dans l'église pour assister au mariage de Meg avec son beau New-Yorkais, elle avait compris qu'il n'y avait plus d'espoir. Il est vrai que Meg n'aurait pas pu choisir de meilleur époux que Tom : mûr et drôle à la fois, il était l'homme idéal. Il n'empêche que si elle se réjouissait pour son amie, Trudy ne pouvait s'empêcher de regretter de ne pas pouvoir prendre un appartement avec elle.

Bien sûr, Meg lui avait assuré qu'elle serait là lorsqu'elle arriverait à New York. Mais ce serait forcément différent de ce qu'elles avaient imaginé pendant leurs études…

Il y a trois ans, Meg était partie à New York, alors qu'elle avait dû rester pour aider sa mère tout en suivant des cours par correspondance. Meg, seule à New York, avait alors rencontré son futur mari, qui brassait des millions de dollars quotidiennement.

7

Trudy n'aurait jamais imaginé qu'un banquier de Wall Street accepterait de se marier ainsi, dans ce coin perdu du Kansas…

— Hé, Trudy, c'est l'heure de la gigue irlandaise ! Tu es prête ? cria soudain une voix parmi la foule.

Avant même qu'elle ait pu répondre, son frère Kenny se mit à rire.

— Trudy, une gigue ? Tu plaisantes. Qui a dit qu'elle savait danser ça ?

Trudy le fit taire d'un coup de poing dans le bras.

— Moi, dit-elle.

Pourquoi n'en serait-elle pas capable, après tout ? Elle avait regardé la cassette de *Riverdance* au moins une centaine de fois tandis qu'elle faisait le ménage à la ferme. Elle laissait alors exploser toutes ses frustrations en frappant le parquet avec ses talons de toutes ses forces.

— Désolé, sœurette, mais regarder une vidéo ce n'est pas exactement comme…

— Prépare-toi à être étonné.

Elle rajusta sa couronne de fleurs.

Ah, Kenny jouait les fiers à bras parce qu'à la dernière minute, il avait été promu témoin du marié, et portait pour la première fois de sa vie un smoking — celui de Linc Faulkner, le meilleur ami du marié qui avait dû déclarer forfait à cause d'une varicelle inattendue.

Déjà, Sue Ellen, leur petite sœur de trois ans, applaudissait à tout rompre.

— Vas-y, Trudy !

Elle sourit, émue. Sue était tellement mignonne ! Elle avait beau être la raison qui l'avait empêchée de partir pour New York plus tôt, Trudy l'adorait. D'ailleurs, elle ne regrettait rien. Car si elle n'était pas restée après la naissance de Sue Ellen, sa mère ne s'en serait jamais sortie avec six enfants à élever et un mari qui gagnait à peine de quoi les nourrir.

— Je parie dix dollars qu'elle n'y arrive pas, lança Clem Hogarth, un ami de la famille. Quelqu'un me suit ?

— Attention, Clem. Tu vas perdre ton argent, l'avertit Trudy.

— Je tiens le pari, Clem, annonça Tom. Si Trudy dit qu'elle peut le faire, je la crois.

— Et moi, j'ajoute dix dollars, renchérit Meg.

Elle sourit à Trudy et lui adressa un petit signe d'encouragement.

Soudain confiante, Trudy lui rendit son sourire. Depuis le lycée, leur devise était « Si tu veux atteindre ton but, n'hésite pas à faire semblant. » Une devise qui ne leur avait jamais fait défaut.

Six mois plus tard

— Oh, Tommy chéri, tu as une goutte de jus de viande sur le menton.

Meg se pencha vers son mari et lui essuya tendrement le menton avec sa serviette.

Tommy chéri… Linc piqua un morceau de viande dans son assiette et se félicita d'être toujours un homme libre. Depuis qu'il avait rencontré Meg, un an plus tôt, Tom était devenu complètement dingue. A partir de ce jour, il s'était mis à délaisser l'une après l'autre toutes ces joyeuses activités qui rendaient un homme heureux. Finies les parties de tennis hebdomadaires, les soirées devant les matchs de football les samedis après-midi avec une bonne bière et des beignets. Tom avait bel et bien abandonné son copain Linc à son triste sort.

Meg était devenue le centre de la vie de Tom.

Linc regarda son ami couver amoureusement des yeux le ventre arrondi de sa femme. Il reposa sa fourchette.

— Vous êtes sûrs que vous ne voulez pas rester seuls tous les deux ? Après tout c'est l'anniversaire de vos six mois de mariage.

Lorsqu'il avait accepté leur invitation, il n'avait pas imaginé un instant que Tom et Meg avaient quelque chose à fêter. A vrai dire, il ne lui était même jamais venu à l'idée auparavant que quelqu'un puisse fêter les six mois de quoi que ce soit. Et il était carrément tombé des nues quand ses amis lui avaient annoncé qu'ils célébraient l'événement *chaque* mois. Tout cela lui était totalement étranger ! Il ne se souvenait pas d'avoir vu ses parents fêter un quelconque anniversaire. Et cela risquait encore moins d'arriver maintenant que sa mère s'était installée à Paris et que son père avait choisi de se retirer dans leur propriété du Connecticut.

— Ne t'inquiète pas. Nous avons bien le temps d'être seuls, le rassura Meg.

Elle fit un clin d'œil à son mari.

— Et puis nous t'avons demandé de venir ce soir, car nous avons une surprise pour toi.

Linc fronça les sourcils.

— L'album de notre mariage est enfin arrivé.

— Oh, super.

Son ton manquait de conviction. Mais était-ce sa faute s'il détestait les photos de mariage ? Tout cet optimisme béat le mettait mal à l'aise.

— Puisque tu n'as pas pu être là, nous avons pensé que cela te ferait plaisir de voir les photos, dit Meg.

Tom, à qui son manque d'enthousiasme n'avait pas échappé, l'encouragea :

— Il y en a de très réussies. Le frère de Trudy a l'air à peu près décent dans ton smoking.

— Oui, je suis vraiment désolé pour cette varicelle. Qui aurait pu imaginer une déveine pareille ?

Pourtant, au fond de lui-même, Linc devait bien avouer qu'il n'avait pas été si mécontent de cette maladie qui était tombée à point nommé pour le tenir éloigné de ce type de cérémonie qu'il détestait. Rien que l'idée du mariage lui donnait des boutons sans compter sa peur bleue de terminer un jour dans une relation identique à celle de ses parents.

— Comme Trudy arrive à New York la semaine prochaine, reprit Meg, j'ai pensé que tu aurais envie de voir à quoi elle ressemble.

— Ah ?

Il n'éprouvait pas la moindre curiosité concernant cette Trudy. Mais il ne serait pas surpris si Meg essayait de le faire changer d'avis.

— En fait, j'aimerais beaucoup que tu acceptes de t'occuper de Trudy lorsqu'elle sera ici.

Linc fixa Meg du regard cherchant une façon élégante de refuser cette mission.

— Ecoute, Meg, Tom ne te l'a peut-être jamais dit, mais lui et moi nous sommes fixés une règle il y a plusieurs années. Nous nous sommes promis que jamais l'un de nous deux n'essaierait de caser l'autre.

— Il n'est pas question de caser qui que ce soit, reprit Meg avec fermeté. J'ai juste besoin d'une personne en qui j'ai toute confiance pour veiller sur elle, pendant quelque temps. Et, s'il y a bien quelqu'un qui n'a aucune envie de se caser, c'est Trudy. Après toutes ces années passées à s'occuper de ses frères et sœurs, elle n'a qu'une envie : profiter de sa liberté.

Tom s'éclaircit la voix et regarda sa femme avec insistance.

— Personnellement je trouve que tu en as déjà fait beaucoup en l'aidant à obtenir ce poste d'assistante en relations publiques. Je ne vois vraiment pas pourquoi tu demandes en plus à Linc de…

— Tu ne comprends pas. Trudy et moi sommes amies depuis le lycée, et depuis le jour où nous avons vu *Working Girl* au cinéma de Virtue, nous nous sommes promis de venir vivre à New York et d'y faire carrière. A l'origine, c'était moi qui devais l'accueillir ici et l'aider à rencontrer des gens, mais j'ai bien peur qu'elle n'ait guère envie de traîner une femme enceinte à ses basques.

— O.K, je comprends, concéda Tom. Mais pourquoi ne demandes-tu pas à quelqu'un du bureau, une collègue par exemple ?

— Je ne peux pas demander cela à n'importe qui. Il faut quelqu'un en qui j'aie totalement confiance. Trudy a tellement attendu son départ pour New York et elle est tellement impulsive ! J'ai peur qu'elle ne se montre imprudente.

Linc commença à se détendre un peu.

— Elle n'a jamais quitté le Kansas ?

Meg secoua la tête.

— Lors de la sortie annuelle du collège, nous sommes allées directement à Kansas City et sommes restées à l'hôtel tout le week-end. Voilà son seul contact avec la vie citadine. Tu vois ce que je veux dire ?

— J'en ai bien peur.

Ainsi Trudy était une vraie fille de la campagne. Après tout, ce ne serait peut-être pas si difficile…

Linc fut conscient qu'il n'avait pas vraiment d'autre choix que d'accepter de s'occuper de la meilleure amie de Meg à son arrivée. Après tout, il était bien placé pour connaître l'importance de l'amitié, puisque Tom était son ami le plus proche à New York, et sans doute le meilleur. Et maintenant qu'il était marié, les requêtes de Meg étaient aussi un peu les siennes…

— Tu es sûre que tu ne cherches pas à organiser quelque chose entre ta copine et moi ? demanda-t-il pourtant, restant sur ses gardes.

Meg secoua la tête.

— Avec toi qui t'accroches comme un fou à ton célibat, et Trudy qui ne pense qu'à être libre ? Ce serait ridicule. Ecoute, ça ne va pas être si désagréable que cela de lui faire découvrir la ville.

Meg se leva et partit à la recherche des photos de mariage dans l'autre pièce. A peine fut-elle sortie que Linc se pencha vers Tom.

— Tu crois que c'est un coup monté ?

— Meg t'a assuré que non.

Linc n'insista pas. Après tout, il était normal que Tom fasse confiance à sa femme. Et puis, il n'allait tout de même pas se mettre martel en tête pour une fille du fin fond du Kansas.

— Comment est-elle ?

— Si Meg a le don d'obtenir des autres ce qu'elle veut, lui répondit Tom, Trudy, elle, a celui de les charmer en les faisant rire.

— Voilà l'album !

Meg déposa sur la table un album en cuir de la taille d'un dictionnaire.

Linc contempla la première page d'un œil maussade. Combien y avait-il de photos là-dedans ? Des centaines, sans doute. Il n'en avait vu que quatre, et il se sentait déjà proche de l'indigestion.

— La voilà.

Il regarda avec attention la photographie que Meg lui désignait. Il y vit une jeune femme vêtue d'une robe mauve aux manches ballon. La jeune femme arborait une couronne de fleurs dans ses cheveux. Elle ressemblait plus à une femme qui rêve à « la petite maison dans la prairie » qu'à une créature impatiente de découvrir les joies du sexe dans la grande ville. Peut-être Meg avait-elle surestimé ses désirs de ce point de vue-là…

— Elle est jolie, non ? demanda Meg. Ce ne devrait pas être trop pénible de la sortir un peu, qu'en penses-tu ?

Linc étudia la photo plus attentivement. La jeune femme semblait vraiment très enjouée. Et elle possédait ce genre de sourire qui vous donne envie d'y répondre.

Il devait admettre qu'il aimait la façon dont elle se tenait, épaules droites et tête haute. Cela mettait sa poitrine et sa taille fine en valeur…

— Alors, c'est d'accord ?

— Combien de temps veux-tu que je garde un œil sur elle ?

— Je ne sais pas. Une semaine. Peut-être deux. Elle apprend vite, tu sais.

Linc hocha la tête. Après tout, ce ne serait pas un grand bouleversement dans sa vie. Et puisqu'il savait à présent que cette fille ne chercherait pas à lui mettre le grappin dessus… D'ailleurs, comment aurait-il pu avoir peur d'une fille venue tout droit de sa campagne,

14

alors qu'aucune des New-Yorkaises branchées et sophistiquées qu'il fréquentait habituellement n'y était parvenue ?

— Elle arrive jeudi prochain ?

— C'est ça.

Meg continuait à feuilleter l'album.

— Durant le week-end, Tom et moi allons l'aider à emménager dans son nouvel appartement. D'ailleurs, ajouta-t-elle en lui jetant un coup d'œil rapide, tu pourrais nous donner un coup de main samedi. Ce serait un bon moyen de faire connaissance.

— O.K., répondit-il d'un ton distrait.

Son regard venait de s'arrêter sur une photo qui avait dû être prise durant le bal.

— C'est elle, là ?

Meg s'esclaffa.

— Oui. On avait tous bu beaucoup de champagne à ce moment de la soirée, et Trudy s'est vantée de savoir danser la gigue irlandaise.

D'après la photo, Linc n'aurait pas su dire si Trudy savait danser une gigue ou non. En revanche, il n'avait plus aucun doute en ce qui concernait ses jambes. A la regarder, il ressentait une sensation, qui lui déplaisait fortement — une sensation annonciatrice d'ennuis. La couronne de fleurs qu'elle portait avait glissé sur son front, donnant un côté un peu canaille à son visage épanoui de joie. Tout à coup, il se sentait un peu moins sûr de lui à l'idée de passer plusieurs jours en compagnie de Trudy Baxter. Et il comprenait pourquoi Meg se faisait du souci à l'idée de la laisser déambuler seule dans New York.

NEW YORK ! Trudy lança un regard à Meg et à Tom tandis qu'ils entraient tous les trois dans l'ascenseur qui les emmenait au quatrième étage : celui où se trouvait *son* appartement. Le sien, à elle toute seule !

Les quelques affaires qu'elle avait emportées se trouvaient dans des cartons empilés à ses pieds et sur le chariot que Tom avait loué pour l'occasion. C'était un grand moment. Elle ne tenait plus en place.

— Qu'as-tu fait de ta clé ? demanda Meg alors qu'ils sortaient de l'ascenseur au 4e étage.

Trudy plongea la main dans le sac à dos qu'elle avait acheté la veille après avoir constaté que les sacs à main faisaient vraiment trop ringards.

— La voilà.

Elle embrassa la clé avant de l'introduire dans la serrure.

— S'agirait-il d'un rituel ? demanda Tom.

— Pas exactement. Mais c'est ma toute première clé, et elle ouvre les portes d'un endroit qui est complètement à moi. Cela mérite bien une petite attention.

Elle ouvrit la porte en grand et s'avança.

— Brrr… C'est glacial ici. Il faut mettre du chauffage.

Elle se précipita sur le thermostat et le monta de plusieurs degrés. Quelle importance si en cette triste journée de janvier son tout nouvel appartement était froid et pas encore très accueillant ? Quelle importance si les fenêtres étaient aussi nues que la pièce vide ? Elle arrangerait tout cela une fois qu'elle aurait obtenu son premier salaire. Et puis la pièce maîtresse de tous ses meubles allait être livrée dans quelques heures. Hier, après le sac à dos, elle s'était offert un lit.

Et quel lit ! Immense, à baldaquin, avec quatre superbes colonnes, une véritable merveille. Elle y avait ajouté une paire de draps en satin noir et un édredon.

La voix de Meg la sortit de ses pensées.

— Ce sera très bien une fois que tu auras tout arrangé.

— Bien sûr que ça va l'être.

Elle se rendit compte que, tandis qu'elle rêvait les yeux ouverts, Tom avait entré tous les cartons.

— Merci, Tom, lui dit-elle avec un sourire.

16

Tom était vraiment un garçon adorable et Meg avait vraiment eu raison de l'épouser. Elle jeta un coup d'œil à son amie, debout au centre de la pièce, puis à son ventre.

— Tu ne crois pas que tu devrais t'asseoir ? demanda-t-elle. D'accord, il n'y a pas de chaise, mais ce carton devrait supporter ton poids.

Meg fit la grimace.

— Merci, vraiment. Rappelle-moi de te faire des blagues de ce genre lorsque tu seras enceinte. Je suis affamée. Tom, tu ne voudrais pas descendre nous chercher quelques sandwichs ?

Trudy enleva sa parka et la posa par terre.

— Dire que je vais prendre mon premier repas, dans mon premier appartement !

— J'en prends un aussi pour Linc ? demanda Tom.

Linc ? Le nom était vaguement familier à Trudy, mais il ne lui rappelait aucun visage.

— Linc, qui est Linc ?

Tom jeta un coup d'œil à sa femme.

— Tu ne lui as rien dit ?

— J'allais le faire. Une fois que tu serais sorti. Ceci est une discussion de filles.

Tout à coup, Trudy se sentait très pressée de mettre Tom à la porte. Son amie avait quelque chose de spécial à lui dire et cette petite lueur au fond de ses yeux bruns signifiait qu'elle avait un plan…

— C'est bon, je suis parti, soupira Tom.

A l'instant même où la porte se refermait derrière lui, Trudy s'assit, jambes croisées devant Meg.

— Je t'écoute.

— L'autre jour, j'ai eu une idée géniale.

— Quelque chose qui a à voir avec ce Linc, je suppose ?

— Exact. Tu sais, il s'agit du meilleur ami de Tom. Celui qui devait être son témoin. Il n'a pas pu venir, tu te souviens ?

Trudy hocha la tête. Mais soudain, elle ne se sentait plus si enthousiaste. Que concoctait Meg ?

— Ah oui, Linc Faulkner, dit-elle. C'est ce type dont les parents sont richissimes ?

— Linc est vraiment adorable. En outre, c'est un ami très loyal.

Trudy posa sa main sur le bras de Meg.

— Arrête-toi là. Je connais ce genre de discours, tu me le fais chaque fois que tu essaies de me jeter dans les bras d'un homme. Je ne veux rien avoir à faire avec le vieux copain de Tom. Moi, je veux sortir avec des hommes que je n'ai jamais vus de ma vie. De vrais inconnus.

Elle s'était mise à secouer le bras de Meg.

— Te rends-tu compte du peu d'étrangers que j'ai rencontrés jusqu'à présent ? Si peu de mystère et si peu d'intrigue ! Et soudain, tout est là pour moi, à portée de main. J'ai même fait une liste.

Elle commença à compter sur ses doigts.

— Un, je veux savoir quel effet cela procure de sortir avec un type de Wall Street.

— Ça, c'est Linc.

— Puis un artiste. Et un promoteur. Et un pompier. Et…

— Ecoute, Trudy, je m'inquiète simplement du fait que tu sois seule pour sortir dans une ville comme New York.

Trudy balaya l'argument d'un haussement d'épaules.

— Ne t'inquiète pas. Je suis plus âgée et plus sage que lorsque nous rêvions ensemble à Virtue.

— Plus âgée, je n'en doute pas.

— Qu'est-ce que tu veux dire ? Qu'on ne peut pas me faire confiance et me laisser toute seule dans les rues de New York ?

— Je dis juste que c'est un grand changement que de passer de Virtue à New York. Et que ce serait peut-être une bonne idée de commencer par passer une semaine ou deux en compagnie de Linc qui pourrait t'emmener dans les meilleurs endroits de la ville et te mettre en garde contre les coins où il ne faut pas mettre les pieds.

Trudy dévisagea son amie avec suspicion.

— Dis donc, ce n'est pas parce que tu es mariée et enceinte que tu vas te prendre pour ma mère ?

— Bien sûr que non, répondit Meg en riant. D'ailleurs, Linc est le type d'homme que les mères préfèrent voir loin de leurs filles. Il est bourré de charme et sexy en diable, mais n'a aucune intention de se marier.

— Vraiment ?

Là, ça commençait à devenir intéressant. Finalement, peut-être qu'il pourrait devenir « son » banquier de Wall Street, à condition que les rôles soient clairs dès le départ, bien sûr. Elle avait tellement à apprendre sur la manière de vivre des citadins ! Chaque homme différent qu'elle rencontrerait l'aiderait à accroître ses connaissances jusqu'à ce qu'elle acquière une réelle expérience. En attendant, il lui fallait s'assurer que ce Linc remplissait bien tous les critères…

— Tu es sûre qu'il n'a pas l'intention de se trouver une épouse ? Tu m'as dit que c'était le meilleur ami de Tom, et…

— Ne t'inquiète pas. Ils ont les mêmes points de vue sur la plupart des choses, sauf sur le mariage. Linc est foncièrement contre. Il ne nous le dira jamais en face, mais je suis certaine qu'il n'attend qu'une chose : que Tom et moi découvrions que nous avons fait une erreur.

Trudy sursauta.

— Pourquoi pense-t-il une chose pareille ?

— A mon avis, en grande partie à cause de ses parents. Bien que son père et sa mère soient toujours mariés, ils ne vivent plus ensemble.

— Je vois. Mais c'est idiot : on ne peut pas tirer de généralités à partir d'un seul exemple.

— Peut-être, mais il s'agit de celui que Linc connaît le mieux. En plus, j'ai l'impression qu'ils aimeraient que leur fils se marie avec une femme de leur monde, ce dont il n'a aucune envie. Et comme il n'est pas du genre rebelle, le moyen le plus simple pour lui de leur résister, est de ne pas se marier du tout.

— C'est un peu triste.

— Tu trouves ? Tout le monde n'est pas obligé de se marier. Toi, par exemple, je croyais que tu n'en avais pas envie.

— Pas avant des années, c'est certain. Mais je ne dis pas que cela n'arrivera jamais.

Elle sourit à Meg avant d'ajouter :

— Une fois que j'aurais fait mon plein d'expériences…

— Ecoute, je sais que tu as envie de tout découvrir, mais ce n'est pas une raison pour faire n'importe quoi. Alors, fais-moi plaisir, accepte de sortir avec Linc. Tu ne pourrais pas souhaiter une meilleure escorte que lui pour prendre contact avec New York.

— Tu as sans doute raison. Le problème, c'est que je n'ai pas envie d'un chaperon…

Elle fut interrompue par une sonnerie. Il lui fallut un moment avant de comprendre de quoi il s'agissait.

— La sonnette d'entrée ! s'exclama-t-elle en se levant d'un bond.

Elle était sur le point d'ouvrir quand Meg lui cria :

— Regarde d'abord par le judas.

— Ah oui, c'est vrai. Il ne faut pas que j'oublie de vérifier, même si, dans le cas présent, je suis sûre que c'est Tom… Après tout, cela pourrait être un fou furieux armé d'un couteau…

Le sourire aux lèvres, elle colla son l'œil au judas… et se redressa, surprise.

— Ce n'est pas Tom.

— Est-ce un homme aux cheveux noirs et aux yeux bleus ?

— Oui.

« Un type très mignon », eut-elle envie d'ajouter.

— Alors, c'est Linc.

— Mon chaperon ?

Elle regarda de nouveau par l'œilleton. Un jean, un sweat-shirt gris, une parka marine et des baskets aux pieds. Superbe allure.

— Vas-tu le laisser entrer à la fin ? s'impatienta Meg.

L'instant suivant, Trudy ouvrait la porte, le cœur battant. Son premier New-Yorkais inconnu entrait chez elle !

2.

Linc se trouva face à Trudy Baxter, qui lui adressait un sourire rayonnant. Etonnant ! pensa-t-il en un éclair. Même s'il n'avait pas su par Meg que cette fille débarquait de son Kansas natal, il aurait tout de suite deviné qu'il ne s'agissait pas d'une New-Yorkaise à son expression —l'expression enthousiaste d'une enfant à qui l'on vient juste de promettre une excursion à Disneyland. Il lui semblait lire en elle comme dans un livre ouvert, et elle avait l'air si innocente et vulnérable, qu'il eut d'instinct envie de la protéger. Bon sang ! Ce n'était pas du tout ce qu'il avait prévu. Il était juste question de lui faire visiter New York quelques jours pour qu'elle s'y acclimate, pas d'éprouver quoi que ce soit pour elle. Et surtout pas ce drôle de sentiment protecteur.

Il l'examina plus attentivement. Sûr qu'avec ses cheveux en bataille, son nez retroussé, ses grands yeux verts, elle ressemblait plus à une jolie paysanne habituée à vivre au grand air qu'à une citadine sophistiquée. A peine maquillée, elle portait un jean et un gilet — tenue simple et pratique qu'elle avait sans doute enfilée pour le déménagement. Rien à voir avec les femmes avec lesquelles il avait l'habitude de sortir. Si son jean semblait avoir vécu, son gilet, en revanche, était flambant neuf. Aussi neuf que son enthousiasme, songea-t-il avec une pointe d'amertume en se souvenant de cette époque où, lui aussi, voyait en chaque nouveau jour le début de mille promesses. Oui, il devait bien s'avouer qu'il enviait la lueur d'insouciance et de joie qui brillait dans ses yeux — une lueur que la vie new-yorkaise se chargerait de ternir bien vite… Il ne savait encore rien de cette jeune femme, mais il avait une furieuse envie de lui dire de rentrer tout de suite au Kansas, avant que les désillusions ne l'abîment.

Elle parla la première.

— Vous devez être Linc. Meg dit que vous acceptez de me servir de chaperon pendant quelque temps jusqu'à ce que je me sois habituée à cette grande ville.

Il sourit à la façon dont elle présentait les choses. C'était beaucoup plus agréable que sa façon de penser à lui.

— Vous vous sentez offensée ?

— Un peu.

Elle lui rendit son sourire. Tom avait dit que c'était une charmeuse et c'est vrai, la magie opérait déjà. Peut-être parce qu'elle était totalement différente des femmes auxquelles il était habitué. Trudy était encore une fille de la campagne. Il doutait qu'ils aient tous deux quelque chose en commun et c'était très bien ainsi.

— Oh, elle ne se sent pas diminuée, lança Meg. Au fond d'elle-même elle sait…

— Voilà le repas, annonça Tom qui arrivait juste derrière Linc. Continuons donc cette petite conversation à l'intérieur. Salut Linc. J'ai rapporté un sandwich au pastrami pour toi.

Meg se leva et s'empara du sac de sandwichs. Elle les posa sur le comptoir qui séparait la petite cuisine du salon.

— Voyons voir, il ne nous manque plus que les assiettes…

Elle se retourna et commença à farfouiller dans les cartons. Linc essayait de ne pas trop regarder ses jambes fermement moulées dans son jean.

— Bon, eh bien, je ne les trouve pas. Je pensais qu'elles étaient dans ce carton, mais elles doivent…

— Oublie les assiettes. dit Tom. On peut utiliser les serviettes que j'ai rapportées.

Ce pique-nique improvisé au milieu des cartons était une expérience toute nouvelle pour Linc. Sa vie ne comportait pas beaucoup d'improvisations jusqu'à maintenant.

Les sandwichs furent distribués et il se retrouva assis sur le parquet juste à côté de Trudy, une caisse servant de table.

— Je crois qu'il va falloir que je songe à acheter une table et des chaises, dit Trudy.

— J'ai une table pliante et des chaises assorties dont je ne me sers pas, s'entendit répondre Linc.

Mais qu'est-ce qu'il lui prenait ? S'il commençait à lui prêter quelque chose, il risquait fort de s'impliquer plus que prévu dans leur relation. Cependant il n'avait pas pu s'empêcher de faire cette proposition. Trudy semblait posséder si peu de choses par rapport à lui.

— Ce serait génial, répondit-elle. J'ai déjà le lit et ainsi je n'aurai plus rien à acheter pendant un bon moment.

C'était donc le lit qui avait été sa priorité. Bizarrement, cette idée le troubla. Mais après tout, l'idée d'une femme qui dépense tout son argent dans l'achat d'un lit exciterait la plupart des hommes. Quoi de plus normal ?

— En parlant du lit, il arrive quand ? demanda Tom.

Trudy jeta un coup d'œil à sa montre.

— Bientôt.

Tom regarda Linc.

— J'aurais besoin d'un coup de main pour installer le lit. Trudy a apporté sa boîte à outils.

— D'accord, pas de problème.

Linc n'avait absolument aucune notion de bricolage mais Tom n'en savait rien. Pas la peine d'en discuter devant Trudy, de toute façon. Tom et lui parviendraient bien à se débrouiller le moment venu. Après tout il ne s'agissait que d'un lit et d'un matelas.

— Eh bien, pendant que vous vous occuperez de cela, Trudy et moi déballerons ses cartons, dit Meg. Avant ce soir, elle sera complètement installée.

— Complètement installée. Trudy répéta ces mots, ravie.

— Je ne sais pas si tu as remarqué, Linc, continua-t-elle, mais de cette fenêtre si tu te penches un tout petit peu sur la droite tu peux apercevoir les arbres de Central Park. Ils sont assez loin mais tu peux quand même les voir. Bien sûr pour l'instant ils n'ont pas de feuilles mais d'ici au printemps ce sera très agréable.

— Oui, certainement.

Linc pensa à son propre appartement tout proche de Central Park et décida de ne pas en parler. Il n'avait jamais eu à se préoccuper de ses finances grâce à une somme d'argent reçue de l'héritage familial pour ses vingt et un ans. Après quelques années passées à travailler à Wall Street, il avait gagné assez d'argent pour acheter son appartement sans utiliser les fonds hérités et il en était très fier.

La voix de Trudy le tira de ses réflexions.

— Ecoutez, vous entendez cela ?

— Entendre quoi ? Meg avala une gorgée du café au lait que Tom lui avait rapporté.

— La circulation. Ecoutez un peu cette circulation. Des bus, des taxis, des limousines, des camions, des estafettes de livraison. Nous sommes samedi mais il y a quand même une forte circulation. Il y a même de la circulation *la nuit*.

Tom hocha la tête.

— Je sais, mais il n'y a pas grand-chose que tu puisses y faire. La solution c'est de vivre en dehors de la ville, ce qui veut dire beaucoup de trajet.

— Je pourrais t'aider à installer des rideaux, dit Meg. Cela coupera un petit peu le bruit. Et de toute façon, tu vas t'y faire.

Linc s'imagina que Trudy était habituée au bruit des oiseaux et des criquets. Elle allait certainement avoir le mal du pays ce soir lorsqu'elle éteindrait la lumière et n'entendrait plus que la circulation.

— C'est vrai, dit Tom. Attends un petit peu et tu n'y feras même plus attention.

En souriant, Trudy les regarda.

— Je ne veux pas y être habituée. J'adore ça. Vous savez combien de personnes rêvent de vivre près de l'océan pour entendre les vagues ? Moi j'ai toujours rêvé de vivre à New York pour entendre la circulation.

Linc la regarda, interloqué.

— Tu plaisantes ?

— Pas du tout.

— C'est bien la première fois que je rencontre quelqu'un qui aime les bruits de la circulation, rétorqua-t-il.

— Je n'ai pas dit que je l'aimais. J'ai dit que je les *adorais*.

Elle jeta un coup d'œil à Linc.

— As-tu déjà passé beaucoup de temps dans une petite ville ?

— Bien sûr.

Linc connaissait de charmants petits villages dans la campagne française et le long des côtes d'Espagne, ainsi que quelques villes très agréables dans le nord de la Californie au cœur des vignobles. Il avait également eu l'occasion de séjourner dans d'accueillants chalets en Suisse. En fait, il avait grandi dans une petite ville du nord de New York mais qui avait de nombreux agréments. Vraiment beaucoup.

— Soyons honnêtes. Si tu devais vraiment choisir un endroit pour vivre, est-ce que cela serait dans une toute petite ville où rien n'arrive jamais et où tu connais chaque personne que tu rencontres ou bien dans une grande ville comme celle-ci où il se passe toujours quelque chose et où tu peux rencontrer toutes sortes de gens nouveaux et intéressants chaque jour ?

— La ville, bien sûr.

Mais Linc doutait que ses raisons à lui soient les mêmes que celles de Trudy. Il ne connaissait personne dans la petite ville où se trouvait la propriété de ses parents. Mais chacun savait qui il était. Le nom des Faulkner provoquait toutes sortes de réactions pas toujours très agréables. Les gens étaient curieux, déférents, envieux ou grossiers.

— Tu vois bien, répondit Trudy.

— Moi je choisis les deux, dit Tom. C'est mon rêve d'avoir assez d'argent pour m'installer dans un petit coin ensoleillé suffisamment bien desservi afin de pouvoir venir en ville chaque jour.

— Mais une ville avec ce type de facilités n'a rien à voir avec le genre d'endroit dans lequel Trudy et moi nous avons grandi, dit Meg.

— C'est vrai. Trudy avala une gorgée de bière. A Virtue, toute notre vie est concentrée au même endroit. Impossible de s'échapper. On vit quasiment les uns sur les autres.

— Oh, Virtue n'est pas si mal, dit Tom. J'ai passé du bon temps là-bas.

— Exactement, dit Trudy. *De temps en temps*. Essaie de vivre comme cela pendant vingt-six ans. J'ai vu assez de champs de blé pour le reste de ma vie.

— Oui, mais ces vieilles routes désertes sont quand même sympathiques, non ?

— Oh, allez Trudy, Tom lui sourit. Le câlin sur le siège arrière est une coutume bien de chez vous. Avec tout le charme que cela comporte : plaisir interdit, manœuvres en espace restreint et danger de se faire prendre. C'est super. N'est-ce pas Linc ?

— Hmm, oui.

Linc regrettait de n'avoir jamais eu de relations sexuelles avec une fille sur le siège arrière d'une voiture, aussi bien pour l'expérience que pour se sentir un homme comme les autres au lieu de n'être qu'un gosse de riches qui avait perdu sa virginité dans la suite d'un hôtel de luxe. Si seulement il avait déjà eu l'occasion de pratiquer ce petit exercice, il n'éprouverait pas en cet instant une telle curiosité. Il s'imaginait que Trudy avait dû expérimenter elle aussi cette petite habitude avec quelques-uns des garçons du coin. Elle avait certainement laissé un bon nombre de cœurs brisés à Virtue. Enfin, il valait mieux qu'il ne laisse pas son esprit divaguer comme c'était le cas en cet instant. Il commençait même à avoir des visions de Trudy plutôt troublantes.

27

La sonnette d'entrée résonna et Trudy sauta sur ses pieds.

— Mon lit !

Elle courut jusqu'à la porte.

Linc regarda Meg et, baissant d'un ton, lui demanda :

— Elle est toujours comme ça ?

Meg sourit.

— Comme quoi ?

Il se pencha un peu plus près d'elle.

— Tu sais, avec une voix aussi haut perchée.

— Oh, aujourd'hui elle est plus excitée que d'habitude à cause de ce déménagement. Mais oui, c'est vrai, c'est quelqu'un de très dynamique. Tu crois que tu vas t'en sortir avec elle ?

Trudy ne pouvait pas croire qu'un homme comme Linc se trouvait déjà dans sa chambre à coucher dès le premier jour de son emménagement. D'accord s'il était là c'était uniquement pour aider Tom à installer son lit.

— Je vois que tu l'aimes bien, remarqua Meg, alors qu'elle déballait un des cartons. Et…

Elles entendirent un grand coup venant de la chambre suivi d'un juron.

— Peut-être que l'on devrait aller voir ce que font les hommes, dit Trudy d'une voix inquiète.

Trudy reposa son torchon et se dirigea vers l'autre pièce. Avant qu'elle n'y arrive, Tom en sortit, l'air visiblement vexé.

— Bon, ça ne marchera pas.

Linc le suivait, un tournevis dans une main.

— C'est vrai, ça n'ira pas.

— Tu veux dire que les différentes pièces ne s'assemblent pas correctement ? demanda Trudy.

— Tout s'assemble très bien, répondit Tom qui se tenait devant elle, les bras croisés sur les hanches. Ce qu'il y a, reprit-il, c'est que le lit est bien trop grand pour la chambre. On a essayé dans les deux sens, mais il ne rentre pas.

— Laissez-moi voir.

C'était vrai. Le lit était trop grand pour la pièce.

— Je n'arrive pas à le croire, dit-elle. C'est une chambre, alors pourquoi n'arrive-t-on pas à y faire tenir un lit ?

— Un lit y tiendrait, dit Tom. Mais pas *ce lit*. Tu pourrais faire dormir une famille de six personnes là-dedans, Trudy. Pourquoi diable en avoir acheté un d'aussi grand ?

— Parce qu'il avait l'air super dans la boutique. Voilà pourquoi.

Elle ne risquait pas de donner ses véritables raisons à Tom. D'autant que Linc semblait tout aussi curieux que lui d'entendre sa réponse. Elle avait acheté ce lit immense parce que c'était tout à fait le contraire de la banquette arrière d'une voiture. Voilà l'explication. Elle voulait avoir ses aises.

Meg regarda par-dessus son épaule.

— Peut-être pourrais-tu téléphoner à la boutique et voir s'ils en ont un plus petit dans le même style. La taille en dessous conviendrait parfaitement. Il serait encore un peu à l'étroit dans ta chambre mais il tiendrait.

— Non, pas question. Je n'en veux pas un plus petit.

Trudy avait pris sa décision.

— Je vais le mettre dans le salon.

Chacun sembla un peu surpris, mais les garçons commencèrent à amener les différentes planches du lit dans le salon. Plus Trudy pensait à sa nouvelle idée et plus elle l'aimait.

— Pourriez-vous le mettre contre le mur de droite, comme cela je pourrais voir les arbres de Central Park tout en restant allongée.

— Bien sûr, dit Tom. Linc, voudrais-tu me passer le tournevis ?

Trudy adorait regarder les hommes en train de bricoler. Lorsqu'elle s'installerait pour se coucher ce soir, elle pourrait se rappeler que c'était le beau Linc, si sexy, qui avait serré les vis pour assembler son lit. Elle pourrait se remémorer la façon dont il s'était penché

29

au-dessus de la boîte à outils pour chercher le tournevis et ce faisant lui offrant une belle vue sur ses fesses. Cet homme était vraiment un beau spécimen.

Meg s'approcha furtivement d'elle et lui dit à demi-voix.

— Je t'y prends en train de mater.

— J'aimerais l'embrasser partout, dit Trudy.

— Personne ne t'en empêche, murmura Meg.

— Je doute qu'il ait envie d'une fille de la campagne. Il est certainement habitué à un style plus sophistiqué.

Meg lui fit un signe en direction de la chambre pour lui indiquer qu'elles pouvaient se planquer là-bas pour une petite conférence privée.

— Allez viens Trudy, dit-elle en haussant la voix. Je vais t'aider à ranger tes vêtements dans la penderie.

— Super.

Elle suivit Meg dans la chambre.

Celle-ci hocha la tête.

— J'ai l'impression que tu lui plais, Trudy.

— Je ne suis pas prête pour cela.

— Pourquoi pas ? Je croyais que tu mourais d'impatience à l'idée d'expérimenter les New-Yorkais ?

— C'est vrai, mais je ne veux rien gâcher et certainement pas avec un homme comme Linc. Il a l'habitude de sortir avec des femmes élégantes. Peut-être deviendrai-je aussi raffinée qu'elles un jour, mais pour l'instant il n'en est rien.

— Allez, Trudy. Qu'as-tu à perdre ?

— Ce que j'ai à perdre ? Ma fierté. Et puis d'abord, c'est trop tard. Il m'a déjà vue dans cet état, la véritable campagnarde sortie de sa ferme !

— Tu es très bien comme tu es, et tu le sais.

— A l'intérieur, peut-être. Mais regarde-moi. Je n'ai aucune allure. Tu sais combien la première impression est importante. Je ne pourrai jamais me transformer suffisamment pour effacer de la mémoire de Linc cette image de jeune fille du Kansas tout juste débarquée en ville.

Meg fronça les sourcils.

— Je crois que ça vaut quand même le coup d'essayer.

— Et moi je ne crois pas. Il peut très bien être un bon copain pour les deux premières semaines si cela te rassure, mais je ne vois pas comment cela pourrait aller plus loin. Il a déjà rencontré la version campagnarde de Trudy Baxter. Il est trop tard pour lui en présenter une autre.

— Hé, ce n'est qu'un homme comme les autres. Découvre ses fantasmes secrets, réalise-les et tu verras s'il ne réussit pas à oublier ses premières impressions.

— Ecoute, la première fois que j'essaierai, je veux que ce soit avec quelqu'un qui ne sache absolument pas que j'arrive de notre trou perdu.

Meg haussa les épaules.

— Bon, si tu préfères, il peut n'être qu'un simple copain.

— J'y compte bien.

Son plan venait de rencontrer un léger obstacle, mais Meg ne se tracassait guère. Dès qu'elle avait rencontré Linc, elle avait su qu'il cherchait désespérément la femme de sa vie, quelles que soient ses dénégations. Il avait besoin de quelqu'un qui pourrait le secouer un peu et le faire sortir de sa coquille. Dynamique et sensuelle comme elle l'était, Trudy était tout ce qu'il lui fallait. Organiser une rencontre entre ces deux-là était une idée géniale. Linc avait besoin d'une femme et d'une famille, Meg en était persuadée. Quant à Trudy elle ne rencontrerait jamais quelqu'un qui lui conviendrait aussi bien que Linc. Toutes ces sorties ne seraient qu'une perte de temps. Ce serait tellement fantastique d'avoir sa meilleure amie mariée au meilleur ami de Tom.

3.

Linc jeta un coup d'œil à Tom.

— Tu crois qu'elle a remarqué que je n'étais pas un fin bricoleur ? C'est bien la première femme que je rencontre qui possède sa propre caisse à outils.

— Et toi tu es certainement le premier mec qu'elle rencontre qui possède son propre portefeuille d'actions. Alors arrête de t'en faire. Et puis qu'est-ce que cela peut bien te faire ce qu'elle pense de toi ?

Ce bon vieux Tom venait de marquer un point et Linc n'eut d'autre échappatoire que le mensonge.

— Tu as raison. Cela n'a pas d'importance.

— Bien. Pendant une minute j'ai presque cru que cela en avait. Je suis certain qu'elle t'aime bien.

La conversation devenait bien trop risquée et Linc examina le lit et ses incroyables montants sculptés qui avaient quelque chose de phallique.

— Ce lit est vraiment immense.

— Je ne comprends vraiment pas pourquoi elle a acheté un tel monstre, renchérit Tom.

— Pour des orgies peut-être ? Cette pensée venait de lui traverser l'esprit, comme beaucoup d'autres aujourd'hui, tout aussi saugrenues. Il n'aimait pas cela du tout.

— J'espère bien que non. Meg deviendrait dingue si elle pensait que Trudy ait des idées de ce genre.

Linc était bien trop conservateur pour avoir jamais songé à des aventures avec de multiples partenaires, mais il ne savait pas du tout à quoi il fallait s'attendre avec Trudy. Elle l'avait complètement désarçonné avec sa caisse à outils et sa façon de voir la vie. Il voulut déplacer un carton qui céda sous le poids. Son contenu s'échappa sur le sol. Linc s'agenouilla pour remettre les livres en place, un titre accrocha son regard : *Fantaisies érotiques au quotidien*. Il jeta un rapide coup d'œil sur les autres et découvrit *Les plaisirs de l'orgasme* et *Aventures sexuelles sans inhibition*.

— Linc ? demanda Tom. As-tu l'intention de te mettre à lire ou bien vas-tu m'aider à mettre le sommier et le matelas en place ?

Linc remit les livres dans le carton qu'il referma tant bien que mal.

— Ce ne sont pas de simples livres, chuchota-t-il.

— Que veux-tu dire ?

Linc s'approcha de Tom et chuchota.

— Ce sont des *manuels de sexualité*.

Tom se mit à rire.

— Eh bien, dans ce cas je crois qu'ils sont dans la bonne pièce.

— Je crois aussi.

Linc feignait d'être aussi indifférent que Tom, mais il ne pouvait s'empêcher de penser à ce qu'il venait de découvrir. Mis à part *Playboy* il n'avait jamais lu grand-chose sur le sujet. D'après ce qu'il savait, ses petites amies non plus d'ailleurs. Acheter un livre comme ceux de Trudy c'était admettre que vous n'y connaissiez rien. Et lui s'y connaissait.

Le cerveau de Linc commençait à bouillonner sérieusement. Cette jeune écervelée était venue à New York dans l'espoir d'enrichir sa vie sexuelle. Elle avait apporté ses guides sexuels avec elle et décidé d'installer un lit gigantesque dans son salon. Elle n'avait probablement aucune idée des problèmes qu'elle pourrait se créer si elle tombait sur n'importe qui. Si personne ne gardait un œil sur elle, qui sait ce qui risquait de lui arriver.

— Vous l'avez monté ? Génial !

Linc se tourna à temps pour voir Trudy courir jusqu'au lit, enlever ses chaussures et se jeter dessus.

Elle restait allongée, bras et jambes écartés.

— Il est parfait. Je l'adore.

Linc éprouvait un tel désir pour elle qu'il dut regarder ailleurs. Si lui-même, qui se comportait toujours en gentleman avec les femmes avait une telle réaction, que se passerait-il si la jeune femme se trouvait en présence d'un homme qui se contrôlerait beaucoup moins bien ?

— Il est très bien à cette place. Ce n'est pas très conventionnel d'avoir son lit dans le salon, mais après tout nous sommes à New York, dit Meg.

— Ce sera un bon motif de conversation, c'est sûr, dit Tom.

Linc se dit que Trudy ne pensait certainement pas à des conversations en achetant ce lit. Il était clair qu'elle envoyait un message. Avec ce lit trônant ici, elle ne pourra certainement pas demander à un homme de monter prendre un dernier café et ne s'attendre qu'à cela.

Regardant une nouvelle fois en direction du lit, il se rendit compte que Trudy était désormais assise jambes croisées en plein milieu de celui-ci. Elle était toujours très attirante mais au moins elle n'était plus en position horizontale.

— Merci à vous deux de me l'avoir installé, dit-elle. C'est vraiment sympa.

Elle se tourna vers les fenêtres.

— D'ici, je peux apercevoir quelques arbres de Central Park comme je le pensais. Et le soir je profiterai de l'éclat des lumières de la ville. Ainsi, chaque matin en ouvrant les yeux et chaque soir en m'endormant, tout me rappellera que je suis *vraiment* à New York.

— Exactement ce que tu voulais, dit Meg. Puis elle regarda sa montre. Oh là, là, il faut que nous partions, Tom.

Linc paniqua. Il ne pouvait pas les laisser partir pendant que lui était encore là. Il n'était pas encore prêt à se retrouver seul avec Trudy.

Tom semblait étonné.

— Où allons-nous ?

— Tu ne te souviens pas ? Connie, du bureau, me prête un berceau ancien et nous devons aller le chercher avant 15 heures.

— Je dois partir aussi, dit Linc. J'ai un…

— Trudy, je suis vraiment désolée que nous n'ayons pas le temps de t'aider à terminer d'installer le baldaquin, l'interrompit Meg. Je sais que tu as vraiment envie de voir à quoi cela va ressembler.

Elle lança un regard à Linc.

— Je suis sûre que Trudy et toi réussirez à terminer l'installation.

— Linc en a déjà fait beaucoup aujourd'hui. Cela peut attendre. Ou bien je l'installerai moi-même.

Linc se rappela l'enthousiasme de Trudy lorsque le lit était arrivé et le saut qu'elle avait fait dessus une fois installé. Elle méritait bien que tout cela soit complètement achevé.

Et puis, c'était complètement ridicule de sa part de s'enfuir de cet appartement comme s'il ne pouvait pas faire face à cette situation. Quelle importance si elle avait toute une pile de manuels sexuels. Ce n'était pas comme s'il envisageait d'avoir une liaison avec elle et devait se préoccuper de savoir si elle en savait plus que lui ou non sur le sujet.

— Allez-y, dit-il à Meg et à Tom. Je vais rester pour aider Trudy.

A peine étaient-ils sortis de chez Trudy que Tom prit Meg par le bras.

— Toi, tu as quelque chose derrière la tête, dit-il comme les portes de l'ascenseur se refermaient.

— Pourquoi dis-tu cela ?

Meg se passa la main dans les cheveux essayant d'adopter un air innocent. Visiblement, Tom commençait à se douter de quelque chose.

— Je dis cela parce que tu m'as l'air un tout petit peu trop satisfaite de toi-même. Et je continue à croire que c'est dimanche que nous devions aller chercher ce berceau. Est-ce que tu as l'intention de coller Trudy et Linc ensemble ? Je veux dire vraiment *ensemble* ?

— Peut-être, oui. Un petit peu. Elle pensa qu'elle devait lui dire une partie de la vérité.

— *Meg*. Tu as dit à Linc que ce n'était pas un rendez-vous arrangé. Et en plus tu sais pertinemment que Linc et moi avons cet accord comme quoi nous ne…

— Oh, oui, je suis au courant de votre accord ridicule. Mais moi, je n'ai jamais fait le serment de ne pas organiser de rendez-vous pour Linc…

Tom la regarda en faisant la moue.

— Je ne peux pas croire que tu lui fasses un coup pareil.

— Oh, je t'en prie, ce n'est pas la fin du monde. Et qui sait ? Cela lui plaira peut-être en fin de compte.

— Alors, qu'essaies-tu de faire à mon ami ?

— Rien qui ne lui déplaira.

— Ecoute, Trudy a envie de sortir avec des hommes exactement de son style, alors pourquoi ne commencerait-elle pas avec lui ? Au moins nous savons qu'avec Linc elle n'a rien à craindre.

— Tu avais cela en tête depuis le début, n'est-ce pas ?

— A peu près.

Elle n'avait aucune raison d'avouer qu'elle avait déjà prévu la rencontre de ces deux-là pour le jour de leur mariage. Mais la varicelle de Linc l'avait empêchée de mettre son projet à exécution.

Tom secoua la tête.

— J'aurais dû le savoir. En fait, je le *savais* depuis le début. Depuis que tu as demandé à Linc de veiller sur Trudy. Tu aurais pu demander à Shauna ou à Ellen, mais non, tu as insisté pour que ce soit lui. Ça semblait louche depuis le début, mais je n'ai pas tenu compte de mon instinct et je t'ai laissée continuer…

— Oh, Tommy. Elle lui pinça gentiment la joue. Qu'y a-t-il de si mal à cela ?

— Tu es en train de briser notre promesse à Linc et à moi, Meg. Voilà ce qu'il y a. Il soupira avec résignation. Bon, dès lundi au bureau j'irai voir Linc et je le lui expliquerai.

— Je ne crois pas que cela soit nécessaire.

— Bien sûr que si. C'est une question d'honneur. Je dois le prévenir.

— D'accord, vas-y et fais-lui bien remarquer que j'ai violé votre précieux serment tant que tu y es. Ainsi Linc pensera qu'il doit absolument se sortir de cette situation et l'histoire s'arrêtera là. Mais si tu ne dis rien et que tu laisses la nature jouer son rôle, alors Linc pourra ignorer le fait qu'il s'agit d'un rendez-vous arrangé et se distraire un peu. Sois honnête, tu ne crois pas que Trudy et lui peuvent passer un peu de bon temps ensemble ?

Tom hésitait.

— Je ne sais pas.

Meg sourit.

— Tu n'as pas vu de quelle façon il regardait Trudy ?

— Comment est-ce qu'il la regardait ?

— Oh, les hommes ! Vous ne remarquez jamais rien. Réfléchis un peu. Linc est toujours sorti avec des femmes super-sophistiquées, du style qui plaît à ses parents. Je ne sais pas pour toi, mais moi je les ai toujours trouvées ennuyeuses. Je pense que lui-même les considère ainsi.

— Oui, c'est bien possible. C'est vrai que je ne l'ai jamais vu s'emballer pour aucune d'entre elles.

— Alors pourquoi briser l'occasion qu'il a d'être avec une personne amusante, pour changer ?

Tom se concentrait.

— Je dois y réfléchir. Je n'aime pas vraiment l'idée de ne pas être loyal envers mon vieux pote.

Tom resta silencieux un moment. Ils étaient maintenant dans leur voiture et essayaient de se faufiler dans la circulation de ce samedi après-midi.

— Tu es certaine que Trudy ne cherche pas un petit ami régulier ?

— Absolument.

— Eh bien, c'est déjà une bonne chose. Tu sais ce que pense Linc des femmes qui ont des idées derrière la tête.

— C'est pour cela que c'est tellement génial. Ils ont tous les deux la même chose en tête. Passer du bon temps et n'avoir aucune attache.

Meg se sentait victorieuse.

— Bon, je verrai bien comment sera Linc lundi. S'il ne me fait aucune remarque sur cette situation, si rien ne lui semble louche, alors, je ne lui dirai rien.

— Tu fais comme tu veux, mon amour.

Meg se sentait rassurée. Si son plan fonctionnait aussi bien qu'aujourd'hui, elle n'avait absolument aucun souci à se faire.

Trudy savait qu'elle aurait dû voir venir le coup. Meg avait abandonné trop rapidement l'idée de la coller avec Linc. Mais son amie s'était enfuie avec son mari, les laissant là tous les deux, espérant que leur rencontre allait faire des étincelles.

Ce qui n'était pas loin d'être le cas. Le fait d'avoir cet homme si séduisant chez elle et la proximité de son grand lit faisaient travailler ses méninges. Linc en savait déjà bien trop sur elle pour être un bon candidat.

— Je crois que Meg s'est débrouillée pour que l'on se retrouve seuls tous les deux, dit Linc.

— Je le crois aussi, mais ne t'inquiète pas. Je n'ai absolument aucune vue sur toi.

C'était curieux comme le fait de le dire à voix haute lui ôtait finalement toute nervosité. Si elle ne le considérait pas comme un amant potentiel, elle n'avait pas besoin de jouer la comédie et pouvait rester naturelle.

Il sembla un peu déçu.

— Bon, eh bien, c'est très bien parce que…

— Je sais. Meg m'a dit que tu étais large d'esprit. Moi aussi.

Maintenant que ses idées à l'égard de Linc étaient claires, elle était bien décidée à ne pas se laisser avoir par l'adorable moue qui venait d'apparaître sur son visage. Déjà à la maison ses plus jeunes frères et sœurs avaient largement profité de sa tendresse et de son bon cœur. C'était toujours elle qui se faisait avoir.

Il s'éclaircit la voix.

— Je ne suis pas sûr que *large d'esprit* soit la façon dont je me décrirais.

— Et comment te décrirais-tu ?

— Prudent.

— Ah.

C'était exactement le mot qu'elle ne voulait pas entendre dans sa bouche. A Virtue, tout le monde ne parlait que de prudence. Après vingt-six années pendant lesquelles on lui avait rebattu les oreilles avec cette notion, elle ne voulait plus jamais en entendre parler. Linc lui annonçant que c'était un de ses traits de caractère, c'était comme un matador agitant une cape rouge devant un taureau en colère.

— Je crois que c'est pour cela que Meg souhaitait que tu deviennes mon chaperon.

— Probablement.

Trudy se dirigea vers le lit et s'allongea dessus. Cela ne faisait que deux heures qu'elle en était propriétaire, mais elle l'appréciait vraiment. Elle l'appréciait autant que le fait de taquiner quelqu'un qui prétendait lui-même être une personne prudente. Elle le regarda, une lueur moqueuse dans les yeux.

— Je peux bien t'avouer que Meg avait en tête que je te séduise.

4.

Linc semblait éberlué et Trudy le regarda, amusée. Puis, sans savoir pourquoi, le regard de Linc s'attarda sur les cartons qui se trouvaient derrière elle. Elle se demanda s'il avait vu leur contenu.

— Tu n'as pas à t'inquiéter, reprit-elle. Parce que je n'ai pas du tout l'intention de te séduire.

— Pourquoi pas ? Je veux dire, bien sûr que non. Tu viens juste d'arriver. On vient à peine de faire connaissance.

Il n'arrêtait pas de regarder les cartons.

Elle décida de le prendre en faute.

— Tu as fouillé là-dedans !

Linc rougissait.

— Je n'ai pas fait exprès. L'un d'eux est tombé et s'est répandu par terre. Il fallait bien que je remette les livres à l'intérieur.

— Ecoute, si tu dois devenir mon chaperon, autant que les choses soient claires entre nous dès maintenant. Voilà le pacte. J'ai l'intention de profiter de la vie ici, ce qui inclut rencontrer un tas d'hommes, tous différents. Je veux découvrir d'autres points de vue, d'autres opinions, élargir mon horizon, apprendre à apprécier différentes sortes de…

— Justement, à propos de cela, je voudrais juste te faire remarquer que si tu amènes un homme ici, il risque de supposer certaines choses.

— Si j'amène un homme chez moi, c'est que j'aurais l'intention de coucher avec lui. Excepté pour l'homme ici présent, bien entendu.

Il semblait nerveux.

— Très bien. Parce qu'une fois qu'il aura jeté un coup d'œil à ce...

Il tendit une main en direction du lit.

— Tu ne pourras pas lui enlever de l'esprit l'envie de coucher avec toi.

— A mon avis, je n'aurais pas du tout envie de lui ôter cette idée de la tête. S'il se trouve ici, c'est que ce sera un des hommes que j'aurais choisi pour accroître mon expérience.

— Super. Parce que s'il se retrouve dans cette pièce où le seul meuble se trouve être ce gigantesque lit, tu ne pourras absolument pas le persuader de faire quoi que ce soit d'autre.

— Linc, est-ce que tu as déjà couché avec quelqu'un sur le siège arrière d'une voiture ?

— Non, je...

— Bien sûr que tu ne l'as jamais fait. Meg dit que ta famille est plus riche que Crésus. Mince ! C'était maladroit de ma part, n'est-ce pas ? Désolée, je ne voulais vraiment pas t'offenser.

— Pas de problème. Ils le sont effectivement et je ne crois pas avoir jamais conduit de voiture standard, encore moins y avoir eu des relations sexuelles.

Elle soupira

— Cela n'a rien de drôle. En fait, je veux dire, avoir des rapports c'est toujours très agréable, mais coincés sur le siège arrière, ce n'est vraiment pas le meilleur moyen d'apprécier cela, tu peux me croire. Il y en a toujours un des deux qui attrape une crampe ou qui se coince le bras ou se cogne la tête. L'hiver on se gèle et l'été tu ne peux pas garder les fenêtres ouvertes sinon tu te fais dévorer tout cru.

— Au Kansas ? Il semblait interloqué. Je ne savais pas qu'il y avait des ours au Kansas...

42

— Dévoré par les moustiques. Sans parler de la possibilité qu'au moment critique, lorsque tu es tout proche du nirvana, la police arrive et te pointes une torche lumineuse droit dans les vitres. Ça c'est le truc qui te casse l'ambiance en moins de deux.

— Oui, j'imagine.

— Et c'est pour cela que je voulais le plus grand lit que je puisse trouver.

Il la regarda droit dans les yeux pendant un long moment.

— Je veux juste que tu te rendes bien compte du message que tu envoies. C'est tout.

Ses yeux bleus étaient irrésistibles. En le regardant de nouveau, elle se prit à espérer que Meg ne le lui ait pas présenté si tôt. Elle aurait aimé le rencontrer dans quelques semaines lorsqu'elle aurait acquis un peu plus de personnalité et d'expérience.

— Tu as raison. En tant qu'ange gardien c'est ton rôle de me prévenir des messages que j'envoie. Tu veux vérifier ma garde-robe ?

— Eh bien, je crois que je pourrais y jeter un coup d'œil…

— Je plaisantais !

Elle lui sourit. Meg avait raison, c'était un type bien. Et consciencieux.

— Ne t'inquiète pas, Linc, je ferai attention à qui je laisse entrer ou non. Et tu n'as pas besoin de m'aider pour le baldaquin. Je suis sûr que tu as des choses à faire, après tout nous sommes samedi.

— Non, ça va. Je peux t'aider.

Il jeta un coup d'œil autour.

— Où est-il ?

— Dans ce carton. Mais sérieusement, je peux le faire seule. Je préfère te garder en forme pour ce soir.

Il toussa.

— Pardon ?

— Oh, excuse-moi. Elle se sentait stupide. Nous n'avons pas du tout parlé de la façon dont allait se dérouler cette histoire de chaperon. Et j'ai simplement présumé que nous allions commencer dès ce soir. Mais tu as certainement un rendez-vous étant donné que nous sommes samedi. Ce n'est pas grave.

— Oh, non. Pas de rendez-vous. Ce soir, c'est parfait.

— Vraiment. Oh, c'est super !

Tout ce qu'elle voulait c'était de ne pas rester enfermée dans son appartement. Sortir. Marcher sur les grands boulevards, boire un verre dans un club de jazz, ou peut-être prendre l'ascenseur jusqu'au sommet de l'Empire State Building et se régaler de la vue de toutes les lumières de la ville.

— Qu'est-ce que tu aimerais faire ? lui demanda Linc.

Elle mourait d'impatience de tout découvrir.

— *Tout.* Aller dans un club de jazz, voir une comédie et oh ! je crois qu'il y a aussi du patin à glace à Rockfeller Center !

— Est-ce que tu veux voir un spectacle à Broadway ?

— Oui, mais pas ce soir. Ça nous prendrait toute une partie de la soirée et en plus je parie qu'on ne trouvera pas de billets pour les bons spectacles aussi tardivement.

— Ne t'inquiète pas. Je peux trouver des billets.

— Oui, et on va les payer un maximum en s'y prenant au dernier moment. Ça va faire fondre mon budget en un rien de temps.

— Je n'avais pas l'intention de te demander de payer ta place.

Elle réalisa qu'ils avaient un autre point à éclaircir.

— C'est très gentil de ta part de vouloir m'inviter, mais je paierai ma part. J'ai épargné pendant des années pour me constituer un budget spécial-découverte de New York. J'ai trimballé dix pots remplis de monnaie la semaine dernière à la banque pour les convertir en beaux billets. Donc, à moins que je ne flambe tout pour dîner au célèbre restaurant *Four Seasons,* ça devrait me suffire pour un bon moment.

— Trudy, c'est ridicule. Je me chargerai des sorties pour les deux prochaines semaines à venir, comme cela tu pourras garder ton argent pour acheter des meubles ou autre chose dont tu auras vraiment besoin.

Trudy croisa les bras sur sa poitrine. Entendre ses plans qualifiés de ridicule ne lui plaisait pas du tout.

— Ecoute, ce que je veux vraiment, c'est passer du bon temps dans cette grande ville. Et le seul meuble dont j'aie besoin pour cela se trouve déjà dans cette pièce. Je réalise que pour un homme aux ressources aussi importantes que les tiennes, économiser pièce par pièce et garder son trésor dans un pot est une chose qui doit sembler bizarre, voire stupide. Mais cela m'a fait plaisir d'épargner ainsi. Maintenant l'heure de ma récompense a sonné et l'argent va servir exactement à ce que j'avais prévu.

Elle le regarda.

— Exactement.

— Mais…

— Tu en fais déjà bien assez en me consacrant le temps que tu accordes d'habitude à tes rendez-vous galants. D'ailleurs, je te remercie pour cela.

— Inutile d'insister. Je rends un service à des amis, ce n'est pas grand-chose.

— Très bien. Je comprends.

Elle aimait la voix ferme qu'il prenait lorsqu'il essayait de faire la loi entre eux deux. Un frisson la parcourut. Meg ne se trompait pas en disant que Linc était un chic type et surtout diablement sexy. Malheureusement, lui la considérait certainement comme une plouc. Il était trop tard pour changer ses premières impressions, mais elle avait vraiment envie de lui montrer une autre facette de sa personnalité. En y réfléchissant, lui demander d'installer son lit était aussi stupide que de demander au public d'un théâtre d'aider à la construction des décors. Cela brisait toutes les illusions. Le mal était déjà fait, mais il suffisait de s'en tenir là avec le bricolage pour stopper les dégâts. Peut-être réussirait-elle à l'impressionner si elle finissait le travail toute seule. Il ne testerait jamais ce lit avec elle, de toute façon, mais ce serait agréable de savoir qu'il en aurait envie une fois qu'il aurait vu l'effet complet. Oui, elle avait besoin qu'il rentre chez lui et ne revienne que dans quelques heures, une fois qu'elle aurait réussi à créer son décor.

— Si nous sortons ce soir, je crois que je vais tout d'abord prendre un bon bain. Alors ne perdons pas de temps avec ce baldaquin.

— Pourquoi ne pas l'installer ?

— Ce n'est pas très important. Elle tendit une main en direction du lit. Ce n'est pas comme si j'allais y commencer mon entraînement avec quelqu'un dès ce soir.

— Ça, c'est certain. Puisque nous en sommes à établir les règles du jeu, en voici une autre. Si tu quittes cet appartement avec moi, tu y reviens avec moi. Pas question d'y ramener un inconnu.

— Evidemment. Ce n'est pas parce que j'arrive d'un trou perdu que je ne connais pas les bonnes manières. Si je rencontre quelqu'un qui me plaît, nous commencerons par échanger nos numéros de téléphone. Et s'il me pose des questions à ton sujet, je dirai que tu es gay.

— Quoi ?

— Je ne voudrais pas qu'il pense que je suis le genre de fille qui drague alors qu'elle est déjà accompagnée.

— Dis-leur plutôt que je suis ton frère ou ton cousin. New York est une plus petite ville que tu ne le crois.

— Nous n'avons pas vraiment un air de famille, dit-elle doucement.

— Cela m'est égal. Dis-le quand même.

— D'accord, si tu insistes.

Il soupira et se frotta la nuque.

— Tu sais, pour dire la vérité je ne suis pas très emballé à l'idée de t'accompagner dans tes sorties pour que tu puisses faire collection de numéros de téléphone. J'aurai vraiment l'impression d'être un souteneur.

Elle l'examina pendant un instant.

— Peut-être devrions-nous oublier tout cela.

Elle avait vraiment envie de sortir avec lui ce soir, mais peut-être n'était-il pas à la hauteur. Elle était prête à vivre *enfin* l'aventure de

46

sa vie et lui commençait déjà à poser problème. Elle avait attendu ce moment depuis trop longtemps pour accepter un quelconque obstacle.

Il la regarda d'un air frustré.

— Vraiment Linc, je suis sûre que Meg comprendrait si je lui disais que nous ne nous sommes pas entendus. Tu n'aurais rien à y voir. Elle sait combien je peux être entêtée parfois…

Il secoua la tête.

— Pas question. Cela n'a plus rien à voir avec le fait de rendre un service à Meg. Maintenant que je t'ai rencontrée, je ne peux pas te laisser aller errer dans les rues de New York dès ton premier samedi soir. Et n'essaie pas de me faire croire que tu resteras chez toi parce que je ne te croirais pas.

— J'ai vraiment envie de sortir, reconnut Trudy. J'ai passé une bonne partie de la nuit d'hier à imaginer tout ce qui m'attendait dehors.

— Bon. Que dirais-tu d'un compromis ?

Il fourra ses mains dans les poches arrière de son jean.

— C'est-à-dire ?

Trudy était prête à tous les compromis.

— C'est ta première soirée ici. Alors pas question de chercher à obtenir des rendez-vous. Pas de flirts et aucun échange de numéros de téléphone. Je t'emmène faire un tour, histoire que tu découvres un peu la ville et on renégocie les termes de ce contrat demain.

— Ça marche.

Elle appréciait l'idée d'être sa partenaire pour la soirée. Sortir ensemble de cette façon, ce n'était déjà pas si mal.

— Tu es certaine que tu ne veux pas que je t'aide pour ce baldaquin ?

— Absolument.

— D'accord, alors je viens te chercher à 20 heures.

— Je serai prête.

Il venait la chercher à *20 heures*. Cela prouvait bien qu'elle était enfin à New York. A Virtue, les rendez-vous commençaient beaucoup plus tôt. Bien sûr, ils se terminaient également de bonne heure parce que tout, même le cinéma, fermait à 22 heures. Si vous restiez dehors plus tard, alors tout le monde savait que vous étiez en train de passer du bon temps dans une voiture. On tolérait ce genre de petite distraction pour une durée d'environ deux heures. Mais si une fille dépassait cette limite, toute la ville la considérait alors comme une nymphomane. Et sa réputation était faite.

— Tu as un manteau bien chaud ?

— Bien sûr.

Elle songea à son seul manteau d'hiver et grimaça. C'était une parka, pas un manteau habillé. Elle avait repoussé l'achat de vêtements afin de se laisser le temps de voir ce que les femmes portaient ici. Elle mourait d'envie de s'offrir un manteau en cuir noir. Mais avant de s'accorder de tels plaisirs, elle devrait un peu renflouer son compte en banque mis à mal après l'achat de ce lit fabuleux. Peut-être trouverait-elle un moyen de ne pas porter sa parka ce soir.

— Très bien. Alors à tout à l'heure. Il attrapa son manteau, lui sourit et sortit de l'appartement.

Cinq heures plus tard, Linc sifflait un taxi dans la rue et lui donnait l'adresse de Trudy. Le programme qu'il leur avait concocté pour la soirée lui avait pris une bonne partie de l'après-midi et il en était fier. Depuis qu'ils étaient convenus de sortir ensemble, son impatience augmentait d'heure en heure. Jusqu'à présent il avait toujours apprécié la routine qui rythmait sa vie et le rassurait. Mais aujourd'hui, il découvrait combien la nouveauté pouvait être excitante.

Pendant les quelques heures où ils avaient été séparés, il avait pu analyser l'effet que la jeune femme avait sur lui et il se sentait désormais plus sûr de lui.

C'était vraiment dommage que Trudy soit liée à Meg et à Tom. S'il l'avait rencontrée par lui-même, elle aurait été la jeune femme parfaite avec qui sortir. Il n'aurait jamais cru se sentir attiré pour

48

une fille qui débarquait juste de la campagne, mais son naturel lui avait vraiment tourné la tête. Il était impatient de voir ses réactions au vu du programme qu'il avait préparé pour la soirée. Mais d'autres images traversaient son esprit. Des images qu'il devait absolument chasser.

Alors que le taxi s'arrêtait devant l'immeuble de Trudy, l'excitation le reprit. Il vérifia que son programme était toujours dans sa poche et demanda au chauffeur de l'attendre. Savoir que le compteur tournait l'empêcherait de s'attarder dans son appartement. Le moins de temps il passerait là-haut, le mieux ce serait pour tout le monde. Lorsque l'ascenseur arriva à l'étage et que les portes s'ouvrirent enfin, il sortit rapidement. Quelques pas dans le corridor et il se retrouvait à sonner à sa porte pour la seconde fois de la journée. La première fois il était impatient et un peu irrité de la situation dans laquelle Meg l'avait mis. Ce soir, il était également impatient, mais pour une tout autre raison. Sa respiration était différente et son pouls battait *vraiment* différemment. Son cœur cognait aussi vite que s'il avait monté l'escalier en courant. Exactement comme il l'avait prévu, elle ouvrit la porte en deux secondes. Elle n'avait pas encore mis son manteau. En fait, elle n'avait presque rien sur elle. Elle portait une minijupe noire plutôt serrée qui mettait en valeur des jambes fabuleuses. Déterminé à ne pas se laisser hypnotiser par cette paire de jambes, il porta son attention sur le reste de sa silhouette… pour découvrir que son pull noir était également très court et découvrait une poitrine qui ne demandait qu'à se faire admirer et une taille dont il était sûr de faire le tour avec ses deux mains. Elle avait l'air prête… pour l'action. Il déglutit.

Elle lui attrapa la main.

— Entre. Laisse-moi te montrer le lit.

Il ne voulait pas voir le lit. Tout ce qu'ils avaient à faire c'était sortir d'ici et s'éloigner de ce fichu lit. Mais elle se tenait là, le guidant dans l'appartement obscur, l'amenant exactement là où il ne voulait pas se rendre. Ils ne s'étaient jamais touchés auparavant et l'expérience l'électrisa. Sa main était douce, chaude. Des bougies scintillaient sur le bord des fenêtres et sur les cartons qu'elle avait rassemblés à côté du lit en guise de table de nuit. C'étaient les seules lumières qui éclairaient la pièce dont les angles disparaissaient dans l'ombre. On ne voyait plus que ce lit immense qui apparaissait ainsi dans toute sa splendeur. Il essayait de rester stoïque.

Elle avait arrangé le baldaquin. L'épaisse tenture ivoire recouvrait le sommet du lit et retombait en plis lâches sur les côtés, lui donnant l'allure d'une tente exotique. A l'intérieur, des draps de satin noir chatoyants et une montagne d'oreillers n'étaient qu'une invitation à la luxure.

— Q'est-ce que tu en penses ?

Penser. Aucun homme ne serait en état de penser devant un décor aussi sensuel. Il ne pouvait que réagir. Et cette réaction était en train de se dresser entre ses jambes. Il espérait que son manteau dissimulait ce flagrant délit.

— C'est… heu… très joli.

— C'est exactement ce dont je rêvais. Je voulais que tu voies le tout fini. Alors dis-moi, honnêtement, en tant qu'homme quel effet cela te fait-il ? Est-ce que cela n'est pas trop féminin et chichiteux ? Je ne voudrais pas qu'un homme se sente mal à l'aise et n'arrive pas à se détendre dans ce lit.

— Je, heu…

Il s'interrompit pour s'éclaircir la voix. Puis il commit l'erreur de la regarder pour lui répondre. Elle se tenait contre le comptoir qui séparait le salon de sa petite cuisine. La lueur des bougies dansait dans ses cheveux, la faisant paraître encore plus désirable.

— Tu hésites. Elle semblait déçue. Donc, quelque chose te dérange avec ce lit. C'est quoi ?

— Rien, rien ne me dérange. C'est un lit super.

Elle eut un large sourire.

— Tu le penses vraiment ?

— Absolument.

50

— Tu veux enlever tes chaussures et t'allonger dessus ?

Il se demandait s'il était possible qu'elle soit aussi naïve pour lui proposer une telle chose sans avoir de la suite dans les idées. De toute façon il était hors de question qu'il s'allonge sur ce lit. Jamais.

— Vas-y Linc ! Je viens de passer une heure dessus et je te garantis que c'est le lit aux draps les plus doux et au meilleur matelas sur lequel tu ne t'allongeras jamais. J'ai choisi le bon modèle. Il est parfait.

Il y avait une autre raison pour laquelle il ne pouvait pas accepter sa proposition de s'allonger sur le lit. Il avait la sensation bizarre d'avoir laissé quelque chose en train… en train de tourner. Le compteur ! Elle lui avait tellement fait tourner la tête qu'il avait complètement oublié le taxi en bas avec son compteur en marche.

Avec un soupir de soulagement intérieur, il lui expliqua que le taxi les attendait en bas.

— Oh, tu aurais dû me prévenir.

Elle commença à souffler les bougies dans la pièce.

— Ce n'est pas très grave. je… Il s'interrompit tandis qu'elle soufflait la dernière bougie plongeant la chambre dans un noir quasi complet. Seules les lumières de l'extérieur éclairaient encore la pièce à travers les vitres.

— Oh. Elle chuchota. Donne-moi une seconde que mes yeux s'habituent à l'obscurité et que je retrouve l'interrupteur.

Il n'allait certainement pas rester là dans le noir avec toute cette énergie sexuelle flottant entre eux deux. Il se dirigea vers la porte. En général les interrupteurs se trouvaient sur le mur près de…

Ils se percutèrent avec un bruit sourd. Son bras rencontra ses seins et ses jambes s'emmêlèrent aux siennes. Il dut la serrer contre lui pour leur éviter de tomber.

Elle rit en poussant un petit soupir.

— Désolée. Je me dirigeais vers la porte.

— Moi aussi.

Il la relâcha à la seconde où il fut sûr que tous deux avaient recouvré leur équilibre. Mais ce ne fut pas assez tôt pour empêcher son corps de réagir, pour stopper le désir qu'il sentait monter en lui et qui enflammait son bas-ventre.

Il se tenait là dans l'ombre, combattant ses désirs. Il avait toujours été doué pour cela. Depuis son enfance il avait appris à contrôler ses émotions.

On entendit un déclic et une petite lumière s'alluma dans le placard près de la porte créant un halo de lumière autour de Trudy. Elle le regarda avec un sourire.

Sa bouche devint sèche. Elle était magnifique. Si elle s'était contentée d'être mignonne il aurait pu l'ignorer. Mais belle à ce point… c'était une autre paire de manches.

— Je prends mon sac et j'arrive.

Il hocha la tête encore sous le coup de l'image d'elle qu'elle lui avait présentée sous ce halo de lumière.

Elle se précipita dans l'autre pièce, ses talons claquant sur le parquet. En un rien de temps elle revint avec son petit sac à dos qu'elle enfila tout en se dirigeant vers la porte. Le mouvement qu'elle faisait attira le regard de Linc sur ses seins et il se sentit empli de désir. Une fois qu'ils seraient sortis de l'appartement, tout irait mieux. C'était l'objectif prioritaire, s'enfuir de cet appartement avec ce lit l'incitant au péché et ces lumières qui faisaient ressembler Trudy à une strip-teaseuse.

Lorsqu'elle eut refermé la porte et qu'ils se dirigèrent vers l'ascenseur, il poussa un soupir de soulagement.

5.

Tandis que l'ascenseur les amenait au rez-de-chaussée, Trudy regarda avec envie le manteau en cuir noir de Linc. Vu de près, il semblait vraiment très beau. Dès qu'elle pourrait se le permettre elle s'en offrirait un du même style. C'en était fini de son look de campagnarde. Désormais elle aurait une allure élégante et sexy.

Pour l'instant, le lit était le plus important et elle était contente d'avoir fait cette dépense tout en espérant ne pas avoir exagéré.

— Linc, j'aimerais que tu me dises sincèrement ce que tu penses du lit. Si tu trouves que les draps sont un peu trop clinquants, je peux toujours les échanger contre un modèle moins sensuel. Peut-être que tout cela est un petit peu trop torride.

Il s'éclaircit la voix. Elle remarqua qu'il avait déjà fait cela plusieurs fois.

— Tu n'es pas en train de tomber malade, n'est-ce pas ? Parce que je m'en voudrais de te faire sortir si tu ne te sens pas bien.

Il la regarda, interloqué.

— Je me sens bien. Pourquoi penses-tu que je suis en train de tomber malade ?

— Eh bien, tu sembles très calme et cela fait plusieurs fois que tu tousses. J'ai même remarqué tout à l'heure que tu avais par moments la voix un peu rauque. Dans ma famille, cela signifie que tu es en train de tomber malade.

Il est clair qu'on ne pouvait pas se fier à un homme pour savoir s'il était en train d'attraper quelque chose ou pas. Elle tendit la main vers lui.

— Laisse-moi m'assurer que tu n'as pas de fièvre.

Il recula.

— Je n'ai absolument pas de fièvre.

— Ecoute, je m'inquiète vraiment. Reste tranquille.

Elle continuait à essayer de poser une main sur son front tandis que lui continuait à reculer hors de sa portée. En son for intérieur, il se disait que tout ceci n'était peut-être bien qu'une ruse pour poser ses mains sur lui.

— Meg et Tom seraient vraiment fâchés si je t'obligeais à sortir alors que tu es en train de tomber malade.

Il l'attrapa par les poignets.

— Je ne suis pas malade, d'accord ?

Oh, elle adorait lorsqu'il se rendait ainsi maître de la situation. Sa poigne était ferme et ses doigts chauds. Chauds mais pas trop, donc il allait bien.

— Est-ce que tu me le dirais si tu étais malade ?

— Oui, je te le dirais.

Avec un petit soupir, il relâcha ses poignets.

A l'instant même elle fut déçue que le contact physique soit rompu. Elle avait apprécié la manière dont ils s'étaient percutés dans l'obscurité de son appartement. Maintenant elle voulait plus encore. Ses mains n'étaient pas rugueuses et gercées comme celles des garçons de ferme avec qui elle avait grandi. Un homme comme lui savait certainement comment caresser une femme. Elle frissonna rien qu'en y pensant.

— Tu as froid, dit-il. Mon Dieu, tu n'as pas pris de manteau. Je ne peux pas croire que je ne m'en sois pas rendu compte.

L'ascenseur venait de s'arrêter et les portes de s'ouvrir. Il pressa de nouveau le bouton du quatrième étage.

— On remonte chercher ton manteau. Il gèle dehors.

54

— Je n'ai pas besoin de manteau.

Elle appuya sur le bouton du rez-de-chaussée mais c'était déjà trop tard. L'ascenseur était reparti vers le quatrième.

— Comment ça, tu ne veux pas de manteau ? Tu ne peux pas sortir comme cela !

Elle le regarda fixement.

— Ecoute, je suis venue à New York pour ne plus avoir ce genre de discussions avec mes parents. J'ai vingt-six ans et je sors sans manteau si cela me chante.

Elle avait essayé sa parka pour voir si c'était aussi horrible avec sa tenue qu'elle se l'était imaginé. C'était encore pire.

Alors que l'ascenseur s'arrêtait à son étage, Linc la fixa dans les yeux.

— J'imagine que tu plaisantes. Cette tenue est parfaitement insuffisante. Tu n'as rien d'autre que quelques grammes de Nylon sur les jambes, une minijupe ultracourte et un pull fin.

Elle se demanda si sa tenue lui plaisait. Son regard semblait tellement désinvolte tandis qu'il en énumérait chaque pièce qu'elle se dit qu'il avait dû effectivement tout remarquer. Il lui semblait voir une petite lueur de désir dans son regard. C'était l'effet escompté, la tenue avait donc bien fonctionné.

— La seule façon de survivre dehors, c'est avec un manteau, dit-il. Un long manteau bien chaud.

— Je n'ai pas de long manteau chaud.

— Mais tu as bien quelque chose. Personne ne débarque à New York en plein mois de janvier sans un vêtement de ce genre.

— Oui, j'ai bien un vêtement chaud. Mais il est absolument hideux. Je refuse de passer ma première soirée dans cette ville en portant une atroce parka bleu et orange. Je préfère encore sortir nue.

Il toussa de nouveau.

— Tu vois. Tu es en train de tomber malade.

— Non, pas du tout.

Sa bouche semblait un peu crispée. Avec horreur, Trudy réalisa peu à peu que Linc se contenait comme il pouvait pour ne pas éclater de rire. Mon Dieu, ses pires craintes étaient en train de se réaliser. Cet homme si raffiné trouvait hilarant qu'une campagnarde comme elle préfère se geler les fesses plutôt que de porter une parka bleu et orange dans les rues de New York. Les portes de l'ascenseur s'ouvrirent au quatrième. Elle ne pensait plus qu'à s'enfuir et se précipita hors de la cabine

— Tu sais quoi ? Je n'ai pas très envie de sortir après tout. Merci de ta proposition, mais en fait je me rends compte que je suis épuisée. Je vais me coucher. A bientôt.

Il la rattrapa avant qu'elle n'atteigne sa porte et posa sa main sur son bras.

— Attends.

Et voilà, ils se retrouvaient de nouveau peau contre peau, mais c'était trop tard désormais. Elle ne pouvait pas être sexuellement attirée par un homme qui se moquait d'elle en douce. Il pensait certainement que son lit était une chose comique et c'est pour cette raison qu'il avait toussoté tout l'après-midi. Il essayait simplement de ne pas piquer un fou rire.

Lorsqu'elle avait rencontré Linc, il lui avait fait penser à ces preux chevaliers au strict code de l'honneur. Apparemment, celui-ci préconisait qu'une femme ne sorte pas sans être couverte d'un bon manteau. Elle appréciait qu'il se soucie d'elle ainsi, mais il avait perdu tous ses points d'avance à cause de son sourire suffisant.

Il ne souriait plus pour l'instant. Ses yeux bleus semblaient troublés.

— Si c'est à propos de cette histoire de manteau…

Le manteau ? Elle secoua la main.

— Grands dieux, non. En fait je crois que je commence à avoir une migraine.

— Je parie que tu as de l'aspirine chez toi. Il continuait à la tenir par le bras. Allons en chercher.

Malgré leur léger différend, elle aimait la proximité qui s'était établie entre eux. Son pull était effectivement fin, ce qui fait qu'elle sentait la pression de ses doigts à travers la maille. Sentir sa peau contre la sienne provoquait des vagues de chaleur en elle. Elle n'avait plus du tout besoin d'un manteau. Tandis qu'il l'entraînait dans le couloir, la culpabilité la saisit.

— Je n'ai pas mal à la tête, dit-elle. C'était à cause du manteau. Je sais que cela doit te paraître complètement stupide mais je ne peux même pas imaginer passer cette porte en portant cette parka aussi horrible. Et je ne peux pas me permettre de m'acheter un nouveau manteau maintenant, vu que je viens déjà de dépenser mes prochains salaires dans ce lit que tu trouves certainement atroce.

— Non, pas du tout.

Elle se demanda s'il s'était rendu compte qu'il lui caressait l'intérieur du bras avec son pouce. Ce n'était probablement qu'un réflexe.

— Cela va me prendre un bon moment avant de piger tous les trucs pour paraître sophistiquée et à l'aise dans cette grande ville. Et une partie de tout cela coûte de l'argent. Pour le moment, je ne peux absolument pas m'offrir un manteau aussi superbe que le tien, donc je préfère sortir sans. Je n'aurai pas froid en marchant vite.

Il cligna des yeux et regarda son manteau.

— Tu aimes ce manteau ?

— Je l'adore. Il est tellement new-yorkais.

— Cela rend les choses plus simples.

Il lâcha son bras et commença à enlever son manteau.

— Hé, qu'est-ce que tu fais ?

— Je te prête mon manteau.

— C'est hors de question.

Elle attrapa le col et essaya de lui remettre le manteau sur le dos aussi vite que lui essayait de l'enlever.

— Garde ça sur le dos. N'enlève pas ce manteau !

Il s'interrompit.

— Est-ce que tu as peur de paraître stupide en le portant ? Evidemment, il est peut-être trop large pour toi, mais tu peux retourner les manches. Et la longueur devrait t'aller vu qu'il ne me descend qu'aux genoux.

— Je ne m'inquiète pas de savoir si j'aurais l'air stupide ou pas...

A l'instant où elle avait posé sa main sur le col, elle avait fondu de plaisir tellement le cuir était doux. Oui, le manteau serait certainement trop grand pour elle, mais les gens qu'ils croiseraient penseraient qu'il le lui avait galamment prêté pour la soirée. Elle aimait l'idée d'être liée à lui dans l'esprit des autres.

— Alors prends-le.

— Si c'est moi qui le porte, toi tu n'auras plus rien. Et crois-moi, tu ne voudras certainement pas m'emprunter ma parka. Mis à part le fait qu'elle n'est pas du tout à ta taille, je t'assure qu'elle n'irait absolument pas avec ta tenue !

— On va s'arrêter vite fait à mon appartement et je prendrai un autre manteau. Comme cela je pourrais aussi te montrer la table et les chaises. Allez, voyons de quoi tu as l'air là-dedans. Essaie-le.

— Je ne suis pas vraiment sûre que cela soit une bonne idée, dit-elle. En fait, elle mourait d'impatience de se blottir dans ce fabuleux manteau.

— C'est la meilleure solution. Approche un peu que je t'aide à l'enfiler.

Avec un mouvement doux et sensuel, il fit glisser le manteau sur ses épaules. Elle frissonna de plaisir en le sentant si proche d'elle, en respirant le parfum de son after-shave et en appréciant la douceur du cuir sur sa peau. Il s'écarta et la regarda.

— Pas mal. Attends un peu que je retourne les manches.

Elle leva les deux bras pendant qu'il retournait le bas des manches avec beaucoup de soin et ferma les yeux. Il ferait un amant tellement attentionné. Quiconque retournait des manches de façon si délicate devait être un expert pour donner du plaisir à un corps féminin. Elle le savait d'instinct.

Elle ouvrit les yeux pour découvrir qu'il la regardait avec une expression tendre. Son regard la troubla tellement qu'elle réalisa qu'il ne serait pas seulement un amant attentionné. Il serait un amant exceptionnel. Cette idée lui donna des frissons et elle trembla en essayant de resserrer la ceinture. Puis elle attrapa son sac dont elle enfila les bretelles sur les épaules.

— Allons-y.

Il lui prit le bras tandis qu'ils marchaient jusqu'à l'ascenseur. Cette histoire de manteau tombait à pic. Non seulement elle allait passer la soirée dans cette tenue fabuleuse, mais en prime elle aurait même droit à un petit coup d'œil à l'appartement de Linc. Elle avait besoin de savoir comment vivait un véritable New-Yorkais, ainsi elle aurait une idée du décor à mettre en place la première fois qu'elle inviterait un homme dans son appartement à elle. Tout d'abord, elle devait absolument voir le lit de Linc afin de se rendre compte si le sien était de bon goût ou pas. Un coup d'œil à sa chambre suffirait à lui donner la réponse.

Lorsqu'ils sortirent, un vent froid lui coupa le souffle. Linc avait raison. Sans ce manteau elle aurait été complètement gelée. Elle se sentit encore plus coupable lorsqu'elle vit le taxi qui les attendait.

— Je partagerai la note du taxi avec toi, cria-t-elle en essayant de couvrir le bruit de la circulation et le souffle du vent.

Il ouvrit la porte de la voiture et l'aida à monter à l'intérieur. Ce faisant, il approcha la bouche de son oreille.

— Nous verrons cela, dit-il, d'une voix douce et intime, son souffle réchauffant sa peau.

Elle se sentit tout excitée. Puis elle se dit que s'il avait murmuré ainsi à son oreille, c'était pour éviter de crier de la même façon rustre qu'elle. Après tout peut-être que sa voix semblait toujours aussi sexy dès qu'il se mettait à parler aussi doucement qu'il venait de le faire. Il donna une direction au chauffeur et la voiture démarra.

Le taxi se déplaçait à travers la circulation comme si le fait d'arriver à l'appartement de Linc était une question de vie ou de mort. Secouée sur la banquette arrière, Trudy adorait cela. Chaque nouvelle secousse la projetait contre Linc, la troublant un peu plus. Linc tira un téléphone portable de sa poche et passa un appel. D'après ce qu'elle entendit de la conversation, il vérifiait une réservation.

Une réservation pour dîner. Ciel, elle n'avait pas du tout pensé qu'ils iraient dîner lorsqu'ils avaient décidé de se retrouver. Elle repoussa sa manche et jeta un coup d'œil à sa montre. Il était 20 h 30.

— J'espère que tu ne meures pas de faim, dit-il. J'ai repoussé la réservation à 21 heures.

— Pas du tout. répondit-elle en lui souriant.

Elle ne lui parlerait jamais du sandwich qu'elle avait commandé chez le traiteur et dévoré à peine une heure plus tôt. C'était tellement incroyable d'avoir un traiteur juste au coin de sa rue qu'elle n'avait pas pu résister.

— Où allons-nous ?

Elle mourait d'envie de se retrouver dans des endroits sélects comme le 21 ou chez Elaine, mais son portefeuille n'aurait pas été d'accord.

Il se tourna vers elle. L'ombre de l'habitacle rendait son visage encore plus mystérieux et séduisant.

— Dans un petit restaurant thaï. Ils font une soupe au pamplemousse qui est tout simplement incroyable.

— Ah oui ?

International et ethnique. Un frisson de plaisir l'envahit. Elle n'était jamais entrée dans un restaurant thaï et n'avait aucune idée de ce qu'elle pourrait y trouver d'autre au menu. Même si l'idée d'une soupe au pamplemousse ne l'emballait pas vraiment…

— Je pense que cela te plaira. Le restaurant appartient à l'un de mes clients. Il y a plusieurs mois de cela je lui ai fait gagner beaucoup d'argent et depuis il n'a eu de cesse de me proposer de passer dîner avec une amie. Elle posa ses yeux sur lui, le soupçonnant d'inventer tout cela afin qu'elle ne se sente pas obligée de payer sa part.

— C'est vrai ou bien tu essaies de m'embobiner ?

Il lui sourit dans la pénombre.

— Non, c'est vrai. Mais j'admets que j'ai choisi ce restaurant pour ne pas faire exploser ton budget. Je sais que tu veux payer ta part et que c'est important pour toi de le faire, mais je crois que tu n'as aucune idée du prix que peuvent coûter les sorties dans cette ville.

— Meg m'a prévenue.

Elle était déterminée à profiter de cette soirée et pour cela elle ignorait délibérément les chiffres rouges qui défilaient au compteur. Mais tu n'aurais pas dû me choisir *moi* pour ce dîner offert. Tu aurais dû le garder pour une autre personne. Quelqu'un qui aurait été un vrai rendez-vous.

— Mais ceci est un vrai rendez-vous.

— Oh.

C'était excitant de l'entendre dire cela.

— Et je voulais partager cette invitation avec quelqu'un qui l'apprécierait réellement.

Trudy espéra simplement qu'ils ne servaient pas de la pieuvre ou quelque chose du même genre. Mais si Linc avait décidé qu'elle était digne d'un tel restaurant, alors elle allait tout faire pour être à la hauteur.

— Voilà, nous sommes arrivés chez moi.

Linc avait un problème. La jeune femme assise à son côté lui plaisait terriblement et il n'avait qu'une envie, l'emmener au lit. Savoir que c'était le genre d'expériences qu'elle recherchait rendait la tentation encore plus grande. Et quel lit que le sien ! Elle avait raison c'était un véritable appel au sexe. Il ne voulait pas lui dire de changer quoi que ce soit. Tout ce qu'il voulait c'était grimper dans ce lit avec elle.

Alors qu'il l'aidait à sortir du taxi, il fut ému de constater à quel point elle était charmante et vulnérable dans ce manteau trop grand pour elle. De temps à autre lorsqu'elle bougeait un peu, il voyait surgir son genou entre les pans du manteau. La première fois que c'était arrivé, une vision d'elle complètement nue sous son manteau lui avait envahi l'esprit. Depuis, il ne pouvait oublier cette image. Son genou apparut encore entre les pans du manteau lorsqu'elle sortit du taxi et il sentit une douce chaleur envahir son bas-ventre. Peut-être était-il plus sensible ce soir après avoir vu tous ses livres dans son appartement. Ou peut-être était-ce parce que sa dernière aventure remontait déjà à deux mois. Il ne pouvait pas quitter Trudy des yeux. Une fois qu'elle fut sortie du taxi, il ne lâcha pas sa main et la tint dans la sienne tandis qu'ils se dirigeaient vers l'entrée de l'immeuble. C'était si bon. Trudy enlaçait ses doigts aux siens comme s'ils étaient deux pièces d'un même puzzle. Elle le tenait fermement sans trop serrer. Son esprit fit alors le lien entre tenir une main et avoir des rapports ensemble. Elle savait comment accorder son corps au sien et pas seulement parce qu'elle avait lu quelques livres. Il sentit que cela était un don naturel chez elle.

Saluant au passage Ernesto, le portier, il la conduisit à travers le hall.

— Un portier, dit Trudy impressionnée. C'est la première fois de ma vie que je passe une porte tenue par un portier.

— C'est un chic type. Sa sœur essaie de lui trouver un rôle de danseur sur une des scènes de Broadway.

Il n'en revenait pas de réussir à lui faire la conversation alors qu'il ne songeait qu'à la façon dont sa main enlaçait la sienne et à leurs deux corps qui s'assembleraient certainement aussi bien. Ils se dirigeaient ensemble vers son appartement et il n'était pas certain de réussir à résister à la tentation.

Cependant, il savait qu'elle attendait cette première soirée new-yorkaise depuis des années. Même s'il était suffisamment sûr de lui pour lui faire oublier tous ses plans, passer la nuit dans l'appartement d'un homme n'était certainement pas le souvenir qu'elle avait prévu de se créer pour son premier samedi soir à New York.

Ils se retrouvèrent seuls dans l'ascenseur.

Trudy prit une profonde inspiration.

— Cela sent bon ici.

Linc avait l'impression de devenir complètement obsédé. Penser à l'encaustique l'avait amené à penser aux huiles parfumées pour le corps. Il n'en avait jamais utilisé avec ses partenaires. Maintenant il voulait le faire. Avec elle.

En y réfléchissant, il n'avait jamais rien testé de particulièrement innovant en matière de sexe. La nouveauté n'était venue que du changement fréquent de partenaires. Les relations ne fonctionnaient jamais très longtemps, car les femmes avec lesquelles il sortait semblaient toutes faites sur le même moule.

Ce n'était pas le cas avec Trudy. Il se sentait comme un adolescent en proie à une poussée d'hormones. Même son odeur était différente de celle des femmes avec lesquelles il sortait d'habitude et cela lui plaisait. Trudy sentait la cannelle. Il voulait commencer par goûter sa bouche et continuer en savourant chaque parcelle de son corps.

Elle le fixait de ses grands yeux verts, brillants d'excitation.

— Un de ces jours, je m'offrirai un petit voyage torride dans un ascenseur comme celui-ci.

Si elle continuait à parler ainsi, son « un de ces jours » pourrait bien arriver plus tôt qu'elle ne le pensait.

— Vraiment ?

— Tu l'as déjà fait dans un ascenseur ?

— Non.

Visiblement il avait raté pas mal de choses.

— Il faut que tu m'excuses pour toutes ces idées un peu dingues qui me passent par la tête. En fait, n'hésite pas à me reprendre. Cela m'aidera à progresser et lorsque je sortirai avec d'autres hommes je ne passerai pas pour une péquenaude.

— Ah bon, parce que pour toi ce soir ne compte pas comme une sortie, demanda-t-il, se sentant légèrement insulté par sa remarque.

— Non, ça ne compte pas vraiment. Je viens tout juste d'arriver en ville donc il va falloir que tu supportes la campagnarde que je suis encore. Donne-moi juste un peu de temps et je serai à la hauteur. Mais pour cela, il faudrait déjà que j'apprenne à tenir ma langue.

Il voulait lui dire de ne pas changer, car ainsi elle le troublait beaucoup plus qu'aucune autre femme ne l'avait jamais fait. Mais il ne pouvait rien lui dire de la sorte. S'il lui avait demandé de rester telle qu'elle était pour lui, cela aurait signifié qu'il avait des vues sérieuses sur elle, et tous deux savaient que ce n'était pas le cas.

A ce moment-là, les portes de l'ascenseur s'ouvrirent, ce qui lui évita d'avoir à dire quoi que ce soit. Peut-être le fait de savoir qu'elle ne le considérait pas comme un partenaire sexuel possible tempérerait suffisamment son excitation pour qu'ils puissent entrer dans cet appartement et récupérer son manteau sans aucun incident. Il comptait beaucoup là-dessus.

6.

Tandis qu'elle marchait au côté de Linc sur l'épais tapis qui menait à son appartement, Trudy se félicita d'avoir repoussé l'idée qu'il devienne sa première conquête, comme l'avait suggéré Meg. Si elle l'avait choisi pour amant, elle aurait été extrêmement mal à l'aise en comparant comme elle le faisait en cet instant, l'environnement de luxe dans lequel il vivait, à son propre appartement tout simple. Elle était intimidée, ce qui n'était pas un bon point pour commencer une relation.

Puis elle se dit que cette visite à l'appartement tombait à pic. Avec un peu de chance elle ne sortirait jamais avec un homme plus riche que Linc. Lorsqu'elle rencontrerait un autre homme, elle serait beaucoup plus à l'aise et plus difficile à impressionner.

— J'apprécie vraiment que tu aies accepté de me prendre sous ton aile, dit-elle comme ils approchaient de la porte de l'appartement et que Linc sortait une clé de sa poche.

— Ravi de te rendre service.

Il ouvrit la porte et la laissa entrer.

Elle franchit le seuil et se retrouva dans un hall meublé d'une table ancienne sur laquelle trônait une petite statue en marbre. Une femme, nue. Sa tête était inclinée et sa chevelure ruisselait en cascade. Trudy savait qu'à Virtue personne n'aurait jamais exposé un tel objet dans son entrée.

Elle montra la statue du doigt.

65

— Je l'aime beaucoup.

— Moi aussi.

— D'où vient-elle ?

— Je l'ai achetée lors d'un séjour à Paris. L'artiste n'est pas encore très connue, mais je pense qu'elle ne tardera pas à le devenir.

Il se dirigea vers une porte au fond du vestibule.

Trudy plaça une main sur sa joue et soupira.

— Tu l'as rapportée d'un séjour à Paris. Comme c'est chic. Moi aussi, j'espère pouvoir dire cela un de ces jours.

— Est-ce que ce sera avant ou après que tu te sois envoyée en l'air dans un ascenseur ? lui demanda-t-il, pince-sans-rire.

Il ouvrit la porte d'un petit dressing, contenant ses manteaux. Il lui tournait le dos, donc elle ne pouvait pas voir son visage.

— Tu es en train de te moquer de moi, n'est-ce pas ?

Il attrapa un manteau gris en laine.

— Pas du tout. Mais je n'ai jamais rencontré quelqu'un qui ait autant de choses à découvrir.

— C'est parce que tu n'as jamais rencontré quelqu'un qui soit resté enfermé à Virtue pendant toute sa vie.

— C'est difficile à imaginer.

Il enfila le manteau et se tourna tout en l'ajustant sur ses larges épaules.

Elle adorait regarder un homme bien bâti comme lui en train d'enfiler un manteau. A Virtue, les hommes n'avaient pas souvent l'occasion d'en porter. Ce qu'ils enfilaient habituellement, c'était leur bon vieux gilet de laine. Il revint vers elle.

— On y va ?

Elle ne pouvait s'imaginer s'en aller sans avoir vu le reste de l'appartement. Mais elle ne voulait pas paraître ennuyeuse. Ni avoir encore l'air d'une péquenaude. Puis l'inspiration lui vint.

— Tu ne voulais pas me montrer la table et les chaises ?

— Ah oui.

Il se tourna et se dirigea dans l'encadrement d'une porte sur sa gauche, enlevant son manteau au passage.

— Viens, suis-moi. Tout est dans le placard de la chambre.

Oh, mon Dieu, dans la chambre... Elle jeta rapidement un coup d'œil dans le salon tandis qu'ils le traversaient. Encore des antiquités, probablement hors de prix dont il prenait visiblement grand soin. La déco était dans les tons beige et bordeaux et la vue depuis les hautes fenêtres était absolument époustouflante. Mais la pièce semblait inhabitée. La cheminée était protégée d'un pare-feu en cuivre sur lequel ne traînait même pas une once de suie.

Elle le suivit dans la chambre, qui n'avait pas l'air très habitée non plus. La seule trace de vie était un livre qui traînait sur l'une des tables de nuit en noyer. *Stratégies de marketing pour le nouveau millénaire.*

Pas très excitant à lire avant de dormir.

— L'as-tu rencontrée ? La femme qui a fait la sculpture ?

— Heu... oui.

Il jeta son manteau sur le lit.

Vu le ton de sa voix, elle avait compris qu'il avait couché avec. Elle posa son sac sur le lit et ôta également son manteau. S'il se mettait à l'aise, elle n'allait pas rester là à crever de chaud. Mais se trouver dans sa chambre et penser à son histoire avec une Française lui donnait chaud d'une autre manière.

— Elle était mignonne, cette artiste ?

— Heu, oui, très, répondit-il laconique.

Il ouvrit les doubles portes d'un immense placard et alluma la lumière à l'intérieur.

Oh, très bien. Il avait vraiment couché avec cette femme. Elle se demandait si la jeune artiste française ressemblait à la statue dans l'entrée. Certainement. Et une jeune femme qui parlait français, ou plutôt, qui parlait anglais avec un accent français, devait être *très* sexy. Elle se dit qu'elle pourrait difficilement rivaliser avec elle. Mais peu importe. Tandis qu'il fouinait dans le placard, elle examina la chambre. Le parfum de son after-shave flottait encore dans l'air et la titillait vraiment. En fermant les yeux, elle pouvait se l'imaginer nu, sortant de la douche, ce qui commençait à l'exciter. Mais lorsqu'elle ouvrit les yeux et regarda devant elle, l'image coquine s'effaça aussitôt. Il avait un grand lit dont elle appréciait le design mais l'édredon et les draps étaient bien trop stricts. Ou peut-être était-ce son livre de marketing et sa mallette en cuir posée sur un guéridon dans le coin qui conféraient à l'ensemble cette note si austère ? Elle avait même remarqué un ordinateur portable à côté de la mallette.

Mis à part deux cravates posées sur le dossier de la chaise, la chambre ne comportait guère de signes d'occupation. Bien sûr, si une artiste française débarquait ici avec son petit accent si sexy et qu'elle se retrouve dans ce lit avec Linc nu à son côté, la chambre aurait tout de suite un air beaucoup plus vivant. Elle haussa la voix pour qu'il l'entende du fond de son placard.

— Tu vas souvent à Paris ?

— Cela fait au moins deux ans que je n'y suis pas allé.

Deux ans ? Bon, d'accord, ça n'avait rien à voir avec une histoire d'amour passionnée.

Sa chambre à elle, ou plus exactement le salon qu'elle avait converti en chambre avait bien plus de connotations torrides que celle de Linc, même si la sienne était meublée avec grande classe. Peut-être cette pièce était-elle trop élégante pour être décadente.

Quoi qu'il en soit, vu la taille de la pièce, son lit à baldaquin aurait été parfaitement à sa place ici. Un de ces jours, elle aurait l'appartement qui irait avec son lit…

Sur une table en noyer dans un coin de la chambre, elle nota un cadre avec une photographie, la seule photo dans la pièce en fait. Trois personnes se tenaient à la balustrade d'un bateau de croisière. L'homme et la femme, beaux, bronzés et élégants, semblaient tout droit sortis d'une publicité pour Ralph Lauren. Le petit garçon devait être Linc. Il les tenait tous les deux par la main et d'après son sourire édenté il ne devait avoir que cinq ou six ans. C'était donc ce couple dont les deux parties vivaient désormais chacune de son côté, ces gens qui l'avaient dégoûté du mariage.

— Voilà la table et les chaises.

Elle sursauta, se sentant coupable.

— J'étais juste…

— Hé, c'est normal de regarder les photos dans une pièce.

Il posa une grande boîte plate contre le lit.

La seule photo de cette pièce. Elle se demanda s'il aimait cette photo parce qu'elle avait été prise avant la séparation de ses parents.

— Tu étais un mignon petit garçon.

— D'après ma mère j'étais surtout casse-pieds.

— A toi tout seul ? Un seul enfant, c'est le paradis. Imagine un peu quand ils sont six !

Il haussa les épaules.

— Au moins tu as quelqu'un avec qui jouer. J'étais sûrement un véritable casse-pieds. Les enfants qui s'ennuient créent des problèmes.

— Quelle sorte de problèmes ?

Elle était fascinée par cette discussion sur un monde qu'elle ne connaissait pas.

— Eh bien par exemple, j'avais remarqué que la femme de chambre et le majordome avaient des conversations privées, alors je m'imaginais qu'ils étaient des espions. Je voulais les surprendre en train de dire quelque chose de compromettant, dans leur code secret que j'aurais dû décoder. Quelque chose comme par exemple *Le chandelier a besoin d'être nettoyé* aurait signifié *J'y ai caché les plans.*

Elle lui sourit.

— Eh bien moi, je prétendais que les champs de blé de mon père étaient en fait un terrain secret d'atterrissage pour les Martiens qui se transformaient ensuite en habitants de Virtue. Tu n'es pas en train de me dire que tu avais des problèmes juste parce que tu inventais quelques histoires ?

— Pas exactement. Mais j'ai poussé les choses un peu plus loin en installant un magnétophone afin de rassembler des preuves.

— Oh.

Elle sentait venir une bonne histoire et elle poussa le manteau de côté afin de s'asseoir sur le lit pour mieux écouter.

— La femme de chambre et le majordome n'ont pas apprécié, c'est ça ?

— Ils ne l'ont jamais su. Mais apparemment ils avaient une liaison amoureuse, j'ai donc eu des cassettes vraiment très intéressantes. Beaucoup de soupirs, de gémissements, de halètements assortis de coups rythmés et de tout un tas de mots et de phrases que je n'avais jamais entendus auparavant.

Une pointe d'excitation lui traversa la nuque.

— Mince ! Tu savais à quoi correspondaient ces bruits ?

Son regard croisa le sien. Il souriait toujours, mais une étincelle de sensualité brillait dans son regard.

— Pas à l'époque. Mais je l'ai compris très vite. J'avais déjà onze ans et j'étais très curieux de ce genre de choses.

La petite lueur de désir et d'excitation qu'elle voyait danser dans ses yeux la troublait.

— Lorsque j'ai enfin compris de quoi il s'agissait, je passais mon temps libre à écouter la cassette, si bien qu'une fois, ma mère m'a pris en flagrant délit. Je ne voulais pas que les domestiques soient réprimandés à cause de moi, alors je lui ai dit que j'avais commandé la cassette sur catalogue. Elle m'a accusé d'être pervers et m'a passé un bon savon.

Trudy était touchée qu'il ait voulu protéger les employés à ses dépens.

— Ta mère n'a jamais su le fin mot de l'histoire ?

— Je ne crois pas. Personne d'autre que moi ne s'est fait réprimander.

— Cela devait être quelque chose de savoir qu'ils couchaient ensemble et de les regarder travailler comme si de rien n'était.

— Oui, vraiment. D'autant plus que la femme de chambre était vraiment très belle. Elle a joué un rôle important dans mes fantasmes d'adolescent. Malheureusement elle a quitté la maison avant que j'aie l'âge de mettre ces fantasmes en pratique, sinon j'aurais certainement essayé.

La tension sexuelle qui régnait entre eux venait d'atteindre un degré supplémentaire.

— Je suis sûre que cette femme fait encore partie de ton subconscient. Trudy avait lu suffisamment de bouquins sur les fantasmes sexuels pour en être certaine.

— Comment s'appelait-elle ?

— Belinda.

Un prénom parfait pour une employée sexy.

— A quoi ressemblait-elle ?

Son visage s'adoucit et ses lèvres s'entrouvrirent légèrement. Bon sang, il était excité. Elle se dit qu'il était en train de penser à Belinda. Se rendre compte que cette femme avait encore le pouvoir de l'exciter à ce point attisa sa curiosité.

— Dis-moi, murmura-t-elle.

Son regard se troubla.

— Elle avait la taille très fine et son uniforme noir et blanc la faisait paraître encore plus petite. Elle portait des jupes très courtes pour mieux dévoiler ses jambes superbes. Son uniforme était toujours boutonné jusqu'au cou mais les boutons du milieu semblaient toujours prêts à exploser.

— Et toi, tu aurais bien voulu que cela arrive...

— Oh oui. Je me souviens encore de ses yeux et de ses cheveux bruns bouclés...

Sa description avait quelque chose de familier... Le pouls de Trudy se mit à battre la chamade.

— Est-ce que je..., est-ce que tu trouves que je lui ressemble ?

Avant de lui répondre, son regard glissa sur son visage. Puis il écarquilla les yeux.

— Tu as un beau visage, comme elle, mais en fait…

— Je ne suis pas du tout magnifique comme elle l'était.

Elle se sentit déçue et baissa les yeux.

— Oh, si, tu es superbe.

— Tu dis cela juste par gentillesse.

— Non, tu es vraiment superbe.

Le ton de sa voix lui fit redresser la tête et la flamme qu'elle découvrit dans ses yeux lui coupa le souffle. Il ne disait pas cela juste par amabilité. Il en pensait chaque mot. Elle ne pouvait pas croire qu'elle était là, assise sur son lit, l'écoutant lui dire qu'il la trouvait absolument superbe. Elle, la jeune femme qui débarquait de sa campagne.

— La vérité, c'est que tu ressembles beaucoup à Belinda, ajouta-t-il. Cela explique probablement pourquoi je… Il s'interrompit et secoua la tête. Peu importe.

— Pourquoi quoi ?

Son cœur battait à tout rompre.

— Pourquoi j'ai eu cette réaction la première fois que je t'ai vue.

— Tu veux dire une réaction sexuelle ?

— Oui. Ses yeux brillaient d'un bleu intense. Mais ce serait vraiment une grosse erreur que nous ayons une liaison.

— Absolument.

En fait, elle n'en était plus aussi sûre. Elle se demanda comment il réagirait si elle revêtait un uniforme de femme de chambre. Et puis, il y avait aussi l'idée de l'enregistrement. Si elle revêtait un uniforme et qu'ils couchent ensemble, elle pourrait enregistrer cette petite séance et la lui faire écouter. S'il appréciait, elle pourrait envisager un autre divertissement très auditif, comme des jeux sexuels au téléphone, par exemple… Maintenant qu'il lui avait donné la clé pour accéder à ses fantasmes secrets, elle se demandait si elle n'allait pas mettre ce plan à exécution.

Mais aussi tentant que cela puisse être, ce n'était pas encore le bon moment. Ce qu'elle voulait, c'était ajouter une bonne dose de piment à leur relation. Elle avait besoin de temps pour décider si elle allait vraiment passer à l'action de cette façon.

Elle se rappela tout à coup le taxi qui les attendait en bas de l'immeuble.

— Linc, il faut que nous partions ! Elle regarda le réveil à côté du lit. Nous sommes déjà en retard pour le restaurant…

Il semblait éberlué comme s'il avait complètement oublié le taxi, sans même parler du dîner.

— Oh, mince, je suis désolé. Je parie que tu meurs de faim.

— Je suis affamée.

Affamée de sexe. Une chose était sûre, elle n'avait jamais rencontré un homme qui fantasmait sur l'employée de ses parents lorsqu'il était petit. Cette idée l'excitait au plus haut point.

Ils se retrouvèrent dans l'ascenseur avant que Trudy ne réalise qu'elle n'avait même pas jeté un coup d'œil à la table pliante tellement elle avait été troublée.

— Flûte, on a oublié d'emporter la table avec nous, s'exclama-t-elle.

— Tout tient dans un seul carton. Je pourrais te l'amener demain après-midi.

Bien trop tôt. Avant de le revoir, elle avait besoin de temps pour réfléchir à la situation. Le séduire ou non, telle était la question. Et si elle décidait d'entreprendre son grand numéro de séductrice, mieux valait éviter les rencontres banales.

D'ailleurs elle allait avoir besoin de l'aide et des conseils de Meg. Et ce n'était pas le genre de discussions qu'elles pourraient avoir au bureau. Puis elle devrait aller louer un uniforme de femme de chambre et ce ne serait peut-être pas possible avant lundi. Malgré tout, elle appréciait le fait qu'il soit impatient de lui apporter la table.

Si elle était encore à Virtue, elle saurait exactement comment agir. Les hommes avec qui elle sortait là-bas aimait sa façon de se faire désirer. Mais Linc n'avait rien à voir avec ces hommes-là, et un citadin sophistiqué tel que lui ne jouait peut-être pas aux mêmes jeux.

De toute façon, elle avait besoin d'un peu plus de temps avant de le revoir.

— Je serais vraiment contente d'avoir ta table rapidement, mais j'ai pas mal de choses à faire demain et je ne serai pas chez moi.

Il semblait déçu mais il se reprit très vite.

— Ce n'est pas grave.

Mince. Le poisson n'était pas encore ferré et si elle n'y prenait pas garde il pourrait bien s'échapper rapidement. Mieux valait qu'elle mette ses plans au point rapidement. En y réfléchissant bien, elle devrait pouvoir trouver une boutique de location de costumes ouverte le dimanche. Après tout, elle était à New York, non ?

Linc ne disait rien et elle se rendit compte qu'elle devait prendre une décision. Plus elle attendrait, plus elle risquerait de faire marche arrière. Et dans ce cas, l'heure à laquelle il apporterait la table n'aurait plus aucune importance.

Elle se décida pour un compromis.

— Je serai certainement à la maison vers 19 heures. Cela irait ?

— Parfait. A moins que l'on attende jusqu'au week-end prochain ?

Ou bien il était moins impatient qu'elle ou alors il faisait très bien semblant...

Pas question d'attendre jusqu'au week-end prochain. Si elle laissait passer six jours avant de le revoir, il risquait fort d'oublier qu'elle était comme un double de Belinda, qui apparemment le faisait encore tant fantasmer aujourd'hui.

Elle serait complètement folle de le laisser s'enfuir. Il correspondait tout à fait au type de liaison qu'elle souhaitait avoir. Avoir une aventure avec lui la rendrait plus sûre d'elle et lorsque leur histoire serait terminée, elle pourrait facilement envisager une liaison avec un autre homme. Peut-être le second serait-il l'opposé du premier. Elle pourrait envisager de séduire un artiste de Greenwich Village,

74

un homme qui serait tout sauf conventionnel. Et pourquoi pas une relation avec un homme portant l'uniforme, comme un policier de la ville ou un sapeur-pompier ? Dans une ville comme New York, les possibilités de rencontres étaient infinies.

Oui, Linc était vraiment l'homme idéal avec qui commencer. D'après ce que Meg lui avait dit, une liaison de courte durée lui conviendrait à lui aussi. Il comprendrait donc parfaitement lorsqu'elle souhaiterait y mettre un terme.

— A 19 heures, ce sera très bien, répondit-elle. Je pourrais commander une pizza pour le dîner.

Il lui sourit.

— Tu n'as pas l'intention de cuisiner un repas toi-même pour étrenner la table ?

— Pas du tout. Je le ferais si j'étais encore à Virtue. Ici, je passe commande.

Si elle persistait avec son idée de tenue de femme de chambre, elle serait bien trop occupée pour cuisiner un quelconque plat dont ils n'auraient rien à faire de toute façon.

Elle se sentait déjà excitée à l'idée de leur prochaine rencontre. Ses désirs allaient enfin être exaucés. Et sa vie sexuelle complètement transformée.

7.

Durant tout le dîner, Linc se comporta en automate. Ses pensées le perturbaient. Maintenant qu'il avait réalisé la ressemblance entre Trudy et Belinda, il devait se tenir sur ses gardes. Dans un certain sens, il avait été soulagé de se rendre compte que son attraction pour Trudy était la réponse à celle qu'il avait éprouvée, adolescent, pour Belinda. Le savoir lui permettrait de mieux se contrôler. Et il devait *vraiment* se contrôler. Ne pas se trouver dans une chambre à coucher en compagnie de Trudy serait déjà un bon début. Considérant qu'elle ressemblait à son fantasme de jeunesse et qu'il avait déjà été émoustillé de découvrir qu'elle avait chez elle un carton rempli de livres traitant de sexualité, il n'était pas étonnant qu'il ait ressenti une tentation aussi forte tandis qu'ils discutaient tous les deux avec ce lit gigantesque qui n'attendait que leurs deux corps.

Il l'étudia attentivement ne pouvant s'empêcher de faire des comparaisons avec Belinda. Force lui fut de constater que Trudy lui plaisait encore plus. Ses lèvres étaient plus sensuelles et ses yeux d'un vert plus profond. Ses traits étaient plus délicats et il était sous le charme de sa voix.

La regarder manger créait une intimité supplémentaire. Comme s'ils étaient déjà habitués l'un à l'autre. Il avait l'habitude de traîner dans la cuisine lorsque Belinda prenait sa pause-déjeuner et à l'époque il aimait jouer au prétendant qui aurait eu rendez-vous pour dîner avec elle. En fait, Belinda avait certainement dû se rendre compte de son engouement. Heureusement, aujourd'hui il savait cacher ses sentiments. Même si Trudy était consciente de l'attraction qui existait entre eux deux, elle n'avait certainement pas idée de l'effet qu'elle avait réellement sur lui.

La fin du repas approchait et Linc n'avait pas envie de quitter le restaurant. Car viendrait l'heure de se rendre dans une discothèque pour danser. Or la tenir serrée contre lui n'était certainement pas la meilleure chose à faire s'il voulait éviter de se retrouver dans une situation compromettante. De plus, cela ne lui plaisait pas vraiment de lui faire découvrir des clubs dans lesquels elle irait, plus tard, à la rencontre d'autres hommes. Trudy refusa de prendre un dessert et ils sortirent du restaurant, à la recherche d'un taxi.

Le trafic du samedi soir battait son plein avec son concert de Klaxon et ses taxis se faufilant à toute vitesse.

— C'est vraiment génial, dit Trudy. J'adore les embouteillages.

Il ne put s'empêcher de sourire parce qu'il commençait à les aimer lui aussi.

— Eh bien, tu vas pouvoir les apprécier ici. Tu devrais rester au chaud, près de la porte pendant que je vais nous chercher un taxi.

Elle le suivit en courant.

— Je veux le faire.

— Attraper un taxi ? Ecoute, c'est très difficile à cette heure-ci de…

— Je me suis entraînée.

— Où ça ? Je ne crois pas que vous ayez des taxis à Virtue.

— Non, mais je me suis entraînée à siffler.

Avant même qu'il ait pu l'en empêcher, elle se planta devant lui, mit deux doigts dans sa bouche et émit un sifflement à fendre ses oreilles. Aussitôt, un taxi surgit devant eux.

— Tu vois ? Elle se tourna vers lui, un sourire rayonnant sur les lèvres.

— C'est parfait, répondit-il cachant sa déception de n'avoir pas eu l'occasion de mettre lui-même ses talents de siffleur en valeur. Maintenant, tu ferais mieux de monter là-dedans avant que…

Il n'eut même pas le temps de terminer sa phrase qu'un homme se faufilait derrière elle et ouvrait déjà la porte arrière du taxi. Linc écarta rapidement Trudy et attrapa la poignée de la porte.

— Désolé, mais c'est notre taxi.

L'homme le regarda d'un air mauvais.

— Je ne crois pas.

Linc eut une nouvelle poussée d'adrénaline. C'était peut-être Trudy qui avait réussi à faire venir un taxi, mais c'était lui qui allait empêcher cet inconnu de le leur piquer. Il fixa l'homme d'un regard qui n'admettait pas la discussion.

— Si, c'est le nôtre. Donc si vous voulez bien…

— Dans quelle direction allez-vous, demanda Trudy, s'immisçant entre Linc et leur voleur de taxi.

— Times Square.

— J'irais bien faire un tour de ce côté, reprit-elle. Nous n'avons qu'à partager la voiture.

— Trudy, attends une minute…

Linc voulait remettre le type à sa place, pas l'emmener avec eux. Et Times Square ne figurait pas sur l'itinéraire qu'il avait préparé.

— Nous n'allons pas…

— Vous vous appelez Trudy ? L'homme sourit. C'est le prénom de ma mère. Trudy Besselhoffer.

— Ça alors, répondit Trudy.

Linc avait l'impression d'être sur une autre planète. Dans son monde à lui, personne n'entamait de conversation avec un inconnu qui avait essayé de vous voler votre taxi sous le nez. Il était partagé entre irritation et fascination. Ce fut cette dernière qui l'emporta.

— Je m'appelle Trudy Baxter. Elle lui tendit la main. Ravie de vous rencontrer. Voici Linc Faulkner. Nous…

— Hé, leur lança le chauffeur. Vous montez ou vous restez là à faire la conversation ?

— Nous montons, répondit Trudy.

Elle pénétra dans la voiture et se glissa jusqu'à l'autre extrémité de la banquette arrière.

— Allez, venez. Il y a suffisamment de place pour nous trois.

Herman s'assit à côté d'elle.

Linc n'avait pas d'autre choix que de suivre. Les choses ne se passaient pas comme il l'avait prévu et il n'aimait pas du tout ce qui était en train de se passer. Son plan était de prendre un taxi jusqu'à la Cinquième Avenue et de là aller à pied jusqu'à Rockfeller Center voir les patineurs. Times Square était supposé venir après et ensuite ils se seraient rendus dans une discothèque. Son erreur avait été de ne pas informer Trudy de leur itinéraire, ce qu'il allait s'empresser de faire dès qu'ils se seraient débarrassés du fameux Herman. Cela ne lui plaisait pas vraiment de voir Trudy genou contre genou avec un inconnu, même si ce dernier était assez âgé pour être son père.

— Où allons-nous, demanda le chauffeur.

— Times Square, répondit Linc.

Puis, il s'installa au fond de la banquette, bras croisés et observa Trudy faire connaissance avec son nouvel ami. Après tout, c'était aussi bien ainsi puisqu'il était justement supposé la protéger des inconnus. Mais il n'allait pas tarder à avoir une petite discussion avec elle sur sa façon de faire de nouvelles rencontres. Il fallait qu'elle se rende compte que New York n'avait rien à voir avec Virtue et qu'on pouvait y rencontrer n'importe qui.

Le taxi les laissa à quelques mètres du centre de Times Square et ils partagèrent la note en trois. Linc avait l'intention de payer la part de Trudy, mais elle ne voulut rien savoir.

A peine s'étaient-ils débarrassés du gêneur que Linc voulut décrire à Trudy la suite du programme. Il n'en eut pas le temps. Elle lui montrait les panneaux lumineux au sommet de la tour Allied.

— Regarde ça !

Il faisait vraiment froid et sa respiration produisit un petit nuage de buée. Il ne pouvait s'empêcher de la contempler. Ce n'était vraiment pas son style de prodiguer des effusions en public, mais Trudy était tellement adorable en cet instant qu'il ressentit le besoin pressant de la serrer tout contre lui, en dépit de la foule. Les lumières de la ville brillant dans la nuit se reflétaient dans les boucles de ses cheveux et dansaient dans ses yeux. Un vent frais la décoiffait légèrement et teintait ses joues d'une pointe de rose. Plus d'un garçon, à la campagne, avait déjà dû embrasser ses lèvres si sensuelles, mais jusqu'à présent, personne ne l'avait embrassée au beau milieu de Times Square.

Il respira un grand coup. Bon, de toute façon, il n'allait pas l'embrasser.

— J'ai l'impression d'être en plein rêve, dit Trudy. Il faut vraiment que je me pince pour me rendre compte que tout ceci est bien réel ! Qu'est-ce que je n'aurais pas donné pour être ici le jour de l'An. Le prochain nouvel an, je le passerai ici, j'en fais la promesse.

Il se demanda quel homme serait avec elle à ce moment-là et éprouva une pointe de jalousie. Mauvais signe.

Il était temps de passer à autre chose.

— Trudy, il y a quelque chose dont nous devons discuter. Tu dois vraiment te méfier des gens à qui tu parles dans cette ville.

— Je sais.

Elle continuait à regarder les messages qui défilaient en haut de la tour.

— Ne t'inquiète pas. Si tu n'avais pas été là pour me protéger, jamais je n'aurais demandé à Herman de partager le taxi.

— Bon, alors ça va, je suis rassuré.

Il enfonça les mains plus profondément dans ses poches. Sinon il risquait fort d'enlacer la sienne et qui sait ce qui pourrait bien arriver ensuite. Certainement ce fameux baiser qui lui trottait à l'esprit depuis un bon moment déjà.

Les immeubles étincelants qui les entouraient lui donnaient le vertige, mais elle reprit d'une voix ferme.

— Je savais que tu me protégerais.

— Oui, mais il faut que tu sois consciente du danger.

Savoir qu'elle avait tellement confiance en lui le déroutait et l'excitait en même temps. Il commençait à apprécier de jouer les protecteurs. Trudy n'était pas une femme comme les autres et s'occuper d'elle lui plaisait bien plus qu'il ne l'aurait imaginé.

— Je vais faire attention à me méfier un peu plus des gens, dit-elle. Meg m'a déjà prévenue elle aussi.

Elle tourna la tête et leurs regards se croisèrent. D'un seul coup, tout sembla plus calme, plus tranquille. Le vent cessa de souffler. Même le bruit de la circulation s'atténua.

— Tu sais, j'ai vraiment aimé la façon dont tu as voulu l'empêcher de nous rafler le taxi. J'avais la chair de poule rien qu'en te regardant, murmura-t-elle.

Il sentit le désir l'envahir de nouveau.

— C'était peut-être plutôt parce que tu étais en plein courant d'air, répondit-il essayant de plaisanter.

Mais le fait de savoir que son comportement l'avait excitée accéléra les battements de son cœur. Elle semblait sur des charbons ardents. Il suffirait d'un rien pour attiser son excitation et cela le rendait complètement fou.

— Il n'y a aucun courant d'air pour l'instant. Elle s'approcha tellement près de lui que les bords de leurs manteaux se touchèrent. Et j'ai toujours des frissons.

Il la regarda droit dans les yeux. Il était fou de désir.

— Est-ce que tu ressens la même chose, chuchota-t-elle.

Il ne se souvint pas avoir sorti les mains de ses poches, mais tout à coup il la tenait là, serrée tout contre lui, aussi près que possible.

— Oui, répondit-il dans un souffle.

Et il pencha la tête vers elle.

Trudy se haussa sur la pointe des pieds et passa ses bras autour de son cou. Embrasser Linc au beau milieu de Times Square était vraiment la meilleure façon de célébrer son arrivée à New York. Et ce baiser était presque aussi romantique qu'un baiser de nouvel an, car elle avait la sensation qu'une toute nouvelle vie commençait pour elle. Visiblement, Linc en avait autant envie qu'elle. Il l'attira encore plus près et son corps s'enflamma.

Apparemment, il n'allait pas se contenter d'un banal baiser. Ses lèvres se posèrent sur les siennes, les écartant, les pénétrant de sa langue qui s'insinua dans sa bouche qu'elle colla à la sienne, répondant à son désir. Elle tremblait de tout son corps. Ce devait être l'excitation d'être à Times Square. N'importe quel autre homme lui aurait fait le même effet en cet instant précis. Pas la peine de s'alarmer.

Il passa sa main dans ses cheveux, y mêlant ses doigts. D'une légère pression, il lui inclina la tête, continuant à l'embrasser passionnément, profondément. Elle sentit une chaleur sensuelle envahir son ventre. Gémissant, elle lui enlaça la taille l'attirant encore plus près d'elle. Elle colla son bas-ventre au sien, excitée de deviner son érection à travers l'épaisseur de leurs vêtements.

D'une façon ou d'une autre son manteau avait dû s'entrouvrir. Lorsqu'il glissa ses mains à travers son vêtement, elle soupira de plaisir. La fraîcheur de ses doigts la surprit à peine lorsqu'ils se faufilèrent sous son pull pour la caresser. Elle était impatiente de sentir ses mains sur elle. Elle se rendit compte qu'il essayait de dégrafer son soutien-gorge et ses seins se tendirent.

Lui aussi semblait très excité. Il respirait par petites saccades. Mais soudain, il écarta ses lèvres des siennes et la regarda, manifestement surpris.

— Mon Dieu. Mais qu'est-ce que je suis en train de faire ?

Elle eut un peu de mal à reprendre son souffle.

— Tu veux que je te fasse un résumé ?

Lentement, il s'écarta d'elle et lui réajusta son manteau. En même temps, il la regardait, complètement incrédule.

— Je crois bien… que j'ai oublié où nous étions.

— Pas moi.

Il déglutit :

— Alors, tu aurais dû m'arrêter. Je n'avais pas l'intention de te mettre dans une telle situation. Je...

— Qui est gêné ici ? Je croyais que tu appréciais la situation autant que moi.

Il rougit.

— T'embrasser était fantastique. Mais je n'ai pas l'habitude de me comporter ainsi en public.

Il tendit les mains vers elle et serra de nouveau son manteau.

— Moi non plus.

Son embarras l'amusait.

— Ce genre de comportement est plutôt mal vu à Virtue aussi.

— Je n'aurais pas dû t'embrasser dans le premier endroit venu...

Il semblait vraiment fâché contre lui-même.

— Et commencer à me caresser sous mon manteau ? ajouta-t-elle, toute fière de lui avoir fait perdre le contrôle de lui-même.

Il rougit de plus belle.

— Je suis vraiment désolé, Trudy. Je ne sais pas du tout ce qui m'a pris.

— Tu avais envie de moi, c'est tout.

— Ça n'arrivera plus.

Tu veux parier ? Après ce baiser brûlant, elle allait réviser ses plans pour la soirée. Linc avait peut-être l'intention de lui faire visiter Manhattan, mais ce qu'elle avait en tête, c'était de lui tendre un autre piège tout aussi torride.

Trudy suggéra qu'ils marchent jusqu'à la Cinquième Avenue pour admirer les vitrines. Linc se tenait sur ses gardes et se gardait bien désormais de tout contact physique. Il s'était contenté de lui prendre le bras pour traverser la rue. Marcher ainsi dans l'air frais de la nuit aurait dû lui éclaircir les idées et tempérer ses envies. Malheureusement ce n'était pas le cas. La seule chose qu'il pouvait faire, tandis que des visions érotiques de Trudy le tourmentaient, était d'essayer de garder son calme.

Arrivé à la Cinquième Avenue, il poussa un soupir de soulagement. Il ne risquait rien à faire du lèche-vitrines avec elle. Mais c'était mal connaître Trudy. Tandis qu'ils flânaient devant les vitrines elle passa son bras sous le sien, ce qui les rapprocha tellement qu'il pouvait sentir son parfum. Cette senteur qui lui rappelait terriblement le baiser échangé quelques instants plus tôt. Tandis qu'il se débattait avec ses récents souvenirs, elle pressa son bras tout contre elle et même à travers l'épaisseur du manteau, il sentit le doux renflement de sa poitrine.

— Oh, regarde ça.

Elle s'arrêta devant une large vitrine.

Il aurait dû savoir que ce serait un magasin de lingerie.

Il essayait désespérément de ne pas l'imaginer dans une chemise de nuit sexy, qu'elle enlèverait ensuite pour se retrouver nue, allongée sur ce lit incroyable où elle l'attendrait.

— C'est exactement ce dont j'ai besoin.

Pas de doute, ce qui l'attirait, c'était certainement cette petite chose en satin noir gansé dont l'allure évoquait un smoking… un peu particulier.

— Hum, hum, dit-il, bien déterminé à ne pas penser à elle dans cette petite tenue.

Elle lui lança un coup d'œil.

— Je parie que tu n'as même pas idée de quoi je parle.

Il se tourna, reportant son attention sur elle tout en évitant son regard. La regarder trop longtemps risquait de le faire craquer de nouveau.

— J'imagine que tu as besoin d'une chemise de nuit.

— Pas du tout. Ce qu'il me faut vraiment c'est ce paravent. Ou tout du moins *un* paravent. Celui-ci fait partie du décor de leur vitrine et je doute qu'ils acceptent de me le vendre.

Il avait de plus en plus conscience de ses seins pressés contre son bras. Ces seins qu'il avait été tout près de caresser en plein milieu de Times Square. Jusqu'à ce jour, il avait toujours été fier de son self-control. Aucune femme ne lui avait jamais fait perdre la tête comme Trudy et sa raison lui commandait de se tenir loin d'elle. Mais son corps lui disait tout le contraire. Et, pour l'instant, il était tellement proche d'elle qu'il n'avait qu'à se pencher pour enfouir son nez dans ses cheveux et respirer son parfum.

— Tu n'as pas envie de savoir pourquoi j'ai besoin d'un paravent ?

Il craignait de lui demander, mais fit mine de rien.

— J'allais te le demander.

— Question d'organisation. Maintenant que j'ai transformé mon salon en chambre à coucher, j'ai besoin d'un petit coin privé pour me changer.

— Tu ne pourrais pas utiliser la chambre ?

— Je pourrais, mais cela n'aurait rien de sexy. Voyons, essaie de m'imaginer avec un homme que j'aurais ramené chez moi.

Il préférait ne pas penser à ce genre de scène.

— Donc, nous arrivons à mon appartement et je lui dis de se préparer une boisson dans la cuisine pendant que j'enfile une tenue un peu plus confortable, continua-t-elle. Mais si je vais me changer dans la chambre, ce ne sera pas pratique parce qu'ensuite je devrais repasser par la cuisine pour revenir dans le salon où se trouve le lit. Ça n'a absolument rien de commode.

— Oui, évidemment.

L'imaginer en train de se changer… tandis qu'un homme se préparerait quelque chose à boire dans sa cuisine… Il ne comprenait pas pourquoi, mais cette idée ne lui plaisait pas du tout.

— C'est pour cela que j'ai besoin d'un paravent. Je pourrais l'installer dans un coin du salon avec une chaise derrière. Et je laisserai ma lingerie favorite dessus, prête pour l'occasion.

— Hum, hum.

Il se demanda où elle allait chercher ses idées incroyables.

— Tu ne trouves pas cela sexy que je sois en train de me déshabiller derrière le paravent tout en discutant avec l'homme que j'aurais ramené chez moi ? Je pourrais même poser un de mes bas sur le haut du panneau après l'avoir retiré. Cela ferait pas mal d'effet.

Elle le scruta du regard.

— Tu ne penses pas que cela soit une bonne idée ? A te regarder, cela n'a vraiment pas l'air terrible.

Il fit un effort pour ne rien montrer.

— Ce n'est pas une mauvaise idée…

— D'accord. Mais est-ce une *bonne* idée ? Sois franc. Si cela a vraiment l'air ridicule, alors je ne le ferais pas. Essaie de t'imaginer à la place de cet homme, avec moi.

Tout ce qu'il essayait justement de faire c'était de ne *pas* s'imaginer dans cette scène.

— D'accord.

— Alors, tu crois que cela te ferait de l'effet de savoir que la femme avec qui tu sors est en train de se déshabiller derrière un paravent tout en continuant à discuter avec toi ?

Encore quelques secondes à rester planté là avec elle et il ne pourrait pas s'empêcher de l'embrasser de nouveau.

— Bien sûr que cela me ferait de l'effet. Bon, on y va maintenant ?

Bon sang, dans quelle situation elle le mettait. Elle avait beaucoup trop d'effet sur lui et il détestait cela.

Elle lui décrocha un superbe sourire.

— Bien sûr, allons-y.

Tandis qu'ils descendaient la rue, il remarqua qu'elle avait toujours un petit sourire au coin des lèvres. Avec toutes les idées fantaisistes qui avaient l'air de lui traverser l'esprit, qui sait à quoi il devrait encore s'attendre ce soir. Avec elle, tout était possible. Absolument tout.

8.

Trudy n'était pas peu fière d'avoir réussi à perturber Linc avec ses histoires de paravent et de strip-tease. Continuant à descendre la Cinquième Avenue jusqu'au Rockfeller Center à son côté, elle se sentait vraiment pleine d'allégresse. A peine trois jours dans la Grosse Pomme et elle avait déjà chamboulé la libido du banquier de Wall Street. Pas mal !

Elle continua à lui parler de sexe et de fantasmes jusqu'à ce qu'ils arrivent au premier night-club qu'il souhaitait lui faire découvrir.

En habitué, Linc commanda une bouteille de champagne. Seule, elle aurait été capable de ne commander qu'un ridicule rhum-coca.

Elle se mit à observer les clients du club. Et plus particulièrement les femmes. Elle ne se sentait pas à la hauteur. Sa coupe de cheveux n'avait aucune allure et la couleur de son vernis à ongles n'était visiblement pas celle de la saison. Même la forme de ses ongles n'avait rien à voir avec celle de ces femmes sophistiquées, qui tenaient élégamment leurs verres à pied dans lesquels elles trempaient des lèvres si bien maquillées. Elle se rappela trop tard qu'elle n'avait fait aucun raccord à son rouge à lèvres depuis leur fameux baiser à Times Square. Pour couronner le tout, elle devait être toute décoiffée par le vent et avoir l'air ridicule.

Linc se pencha vers elle.

— Quelque chose ne va pas ? C'est ta première soirée dans un night-club. Comment se fait-il que tu ne sois pas en train de bondir de joie ?

— C'est parce que je ne me sens pas à mon aise.

Il la regarda, surprise.

— *Toi ?*

— C'est juste que… Oh, ça n'a pas d'importance.

Mieux valait ne rien dire. Après tout, ce n'était qu'un homme. Que pourrait-il bien comprendre aux histoires de vernis à ongles et de coupe de cheveux ?

Elle savait bien qu'elle n'était pas encore à son aise en matière de sophistication. Pour l'instant, Linc semblait s'amuser de la découvrir telle qu'elle était. Mais elle allait devoir arriver rapidement à ses fins avec lui si elle ne voulait pas qu'il se lasse trop tôt d'elle et de ses manières un peu… rustiques.

— Tu préfères que nous allions ailleurs ?

— Non, ici c'est parfait.

Quel que soit le club, le problème serait le même. A moins qu'il ne connaisse un endroit réservé à ceux qui débarquent juste de leur Kansas natal. Il avait commandé une bouteille d'un champagne certainement très coûteux et elle n'en avait bu qu'une coupe. Elle ne pouvait pas laisser perdre quelque chose d'aussi bon. D'ailleurs, elle lui en demanda un autre verre.

— Je t'ai amenée dans ce club parce qu'au moins, les hommes que tu peux rencontrer ici sont tout à fait corrects.

— Merci.

Elle siffla sa flûte en un instant et comme par magie un serveur apparut et la lui remplit de nouveau.

Quelques heures plus tôt, elle était sûre d'elle et de l'attraction sexuelle qu'elle exerçait sur Linc. Maintenant, en regardant toutes ces femmes superbes autour d'eux, elle se dit qu'elle avait dû se bercer d'illusions. Heureusement, le champagne lui faisait du bien. Elle décida d'en reprendre une coupe.

— Je suis vraiment surpris. Cet endroit n'a pas l'air de t'embaler, dit Linc. Je pensais que tu m'aurais déjà entraîné sur la piste de danse.

— En fait, j'ai vraiment très soif.

Elle avala d'un trait la moitié de sa coupe de champagne. Plus tôt ils termineraient cette bouteille, plus tôt ils pourraient partir d'ici. Pas question de s'exhiber sur la piste de danse tant qu'elle n'aurait pas amélioré sa garde-robe et perfectionné son style.

— Tu n'as pas soif après cette longue marche ? lui demandat-elle après avoir jeté un coup d'œil à son verre auquel il avait à peine touché.

— Apparemment, je n'ai pas aussi soif que toi.

A sa grande honte, elle se dit que siffler le champagne comme elle le faisait n'avait certainement rien de très sophistiqué. Elle commençait déjà à avoir les idées un peu floues. Elle se demanda ce qu'il en pensait et sentit ses joues s'enflammer.

— Qu'est-ce qui ne va pas, Trudy ? Tu deviens toute rouge.

Il la regardait, visiblement inquiet.

La pièce tanguait un peu. Rougir de cette façon n'arrangeait pas les choses.

— Non, ça va. Vraiment.

Quel désastre. Se retrouver là, dans ce night-club ultra-chic, les cheveux en bataille, le maquillage ravagé, à moitié ivre et le visage aussi rouge qu'une tomate. Bravo pour le sex-appeal !

Elle attrapa son sac.

— Je crois que je vais aller faire un tour aux toilettes.

Il dégagea la table.

— Tu te sens mal ?

— Pas question. Je reviens tout de suite.

Elle se leva si rapidement qu'elle se cogna contre lui alors qu'il voulait l'aider à tirer sa chaise. S'il ne l'avait pas rattrapée rapidement, la chaise serait tombée par terre. Elle avait vraiment exagéré avec le champagne.

Evidemment, les plus belles femmes du monde, les jumelles de celles qu'elle avait vues là-haut, avaient l'air de s'être donné rendez-vous dans les toilettes. Plus jamais elle ne sortirait en public tant qu'elle n'aurait pas amélioré son image. Pas question de continuer à se sentir ainsi ridicule à côté de toutes ces femmes superbes.

Lorsqu'elle se vit dans un miroir, elle soupira. Ses cheveux étaient complètement emmêlés par le vent et ses lèvres n'avaient plus la moindre trace de maquillage. Elle répara les dégâts aussi bien qu'elle le put. Malheureusement, elle n'avait vraiment aucune chance de sortir de cette pièce avec la même allure fantastique qu'elle enviait aux autres femmes. Elle se passa de l'eau sur la tête, tira ses cheveux en arrière, les plaquant avec ses barrettes. Elle mouilla de nouveau ses cheveux, utilisant l'eau comme un gel coiffant. C'est tout ce qu'elle avait trouvé de mieux afin de dompter toutes ses boucles. Puis elle s'examina dans le miroir. Pas terrible, mais toujours mieux qu'avant.

Quelqu'un frappait à la porte.

— Trudy, tu es là ?

Elle sursauta.

— Oui, je suis là…

Linc ouvrit la porte en grand et la regarda, les yeux écarquillés.

— Mon Dieu, que t'arrive-t-il ?

— Rien du tout, je…

— Bien sûr que si, il se passe quelque chose.

Il entra, ferma la porte et s'appuya dessus.

— Et tu ne sortiras pas d'ici tant que tu ne m'auras pas dit ce qui t'arrive. Pourquoi tes cheveux sont-ils tout mouillés ? Tu es malade ?

Elle se sentait vraiment humiliée. Linc soupira.

— Bon sang. Je n'aurais jamais dû te faire faire cette promenade avec le froid qu'il fait dehors. Tu dois être fatiguée par le déménagement et tu n'as certainement pas l'habitude de manger le type de plats que nous avons commandé ce soir. Et pour couronner le tout, j'ai commandé du champagne sans même te demander si tu n'avais pas de problème d'allergie. Je suis vraiment stupide.

Elle eut un pincement au cœur. Il était tellement attentionné et tellement adorable.

— Linc, je me sens bien. Je ne suis pas du tout malade. Tu sais, je suis une fille du Kansas bien solide. Tu es certainement habitué à des femmes plus délicates, mais moi j'ai une excellente santé, alors arrête de t'inquiéter. Tu n'as absolument rien fait de mal.

Il ne semblait pas convaincu.

— Alors qu'est-il arrivé à tes cheveux ?

— Eh bien, à force de regarder toutes ces femmes, je me suis dit que je n'avais pas vraiment le bon look. Je ne me sentais pas à mon aise ainsi, c'est pour cela que je suis descendue ici pour voir si je pouvais me rendre un peu plus présentable. Et un peu plus sexy.

Elle lut le trouble dans ses yeux. Puis les vit s'écarquiller tandis qu'il semblait retenir un sourire.

— Pour ton information, laisse-moi te dire que j'adore tes cheveux.

— Vraiment ?

— Oui. Ce problème étant résolu, que veux-tu faire maintenant ?

Son sourire lui semblait un petit peu trop enjoué. Elle avait bien envie de lui faire perdre sa belle assurance. Après tout, peut-être n'était-il pas trop tôt pour un petit interlude coquin dans des toilettes publiques. Peut-être bien que c'était juste le *bon moment*. Et le champagne allait lui donner le courage dont elle avait besoin pour passer à l'action. Sans doute, elle ne faisait pas le poids face à toutes ces femmes superbes qui se pavanaient là-haut, mais pour l'instant elle était la maîtresse des lieux. Et de l'action.

Elle s'approcha de lui et passa ses bras autour de son cou.

— Tu l'as déjà fait dans des toilettes pour femmes ?

— Non, jamais.

Ses yeux brillaient d'excitation, mais il lui prit les bras comme s'il voulait les écarter loin de lui.

— Et je ne crois pas que cela soit une bonne idée.

— Bien sûr que si, si tu le penses.

Elle se pelotonna contre lui, appuyant son bas-ventre sur son point le plus sensible.

— Tu en as envie autant que moi.

— Quelqu'un pourrait arriver…

Sa voix était enrouée et il semblait avoir du mal à parler. Mais au lieu de repousser ses bras, il commença à la caresser. Elle se sentit en toute confiance, prête à aller plus loin.

— On s'occupera de cela en temps voulu.

La flamme qu'elle voyait briller dans ses yeux lui disait qu'elle n'avait plus à se préoccuper de son apparence. Elle avait quelque chose en plus que les autres n'avaient pas. Elle ressemblait à Belinda. Elle passa sa main dans sa nuque et l'attira vers elle.

— Embrasse-moi.

Il se laissait faire. Il se laissait guider vers ses lèvres impatientes. Mais si son corps semblait prêt à répondre au sien, son esprit n'avait pas encore complètement abdiqué.

— Nous devrions partir d'ici.

— On s'en va. Dans une minute. Elle se tenait sur la pointe des pieds, se collant de plus en plus contre lui. Sentir son sexe dur contre son ventre la troubla profondément. Lorsque sa bouche fut toute proche de la sienne elle s'amusa à la lécher avec sa langue.

— J'aime ta bouche, murmura-t-elle. Elle a le goût du champagne.

Linc déglutit.

— Trudy, c'est vraiment…

— Excitant.

Elle pressa ses lèvres contre les siennes et continua à le lécher.

— Et c'est vraiment très vilain de se comporter ainsi, n'est-ce pas ?

— C'est complètement dingue.

Son souffle devenait de plus en plus irrégulier.

— Allez. Elle le taquinait tout en lui mordillant les lèvres. Embrasse-moi encore. Je sais que tu en as envie.

Il soupira et rendit les armes. Impossible de résister. Il prit la bouche qu'elle lui offrait, la fouillant de sa langue. Complètement excitée, elle se pressait de plus en plus contre lui, se tortillant, se déhanchant, furieusement impatiente. Oui, elle avait eu raison de prendre l'initiative. Vu l'état dans lequel ils se trouvaient tous les deux, il n'y avait plus aucune question à se poser. Ils étaient vraiment prêts à passer à l'action.

Il desserra son étreinte un instant.

— Je t'en prie, arrête-toi un peu.

Son souffle était court.

— Caresse-moi, demanda-t-elle.

Elle était toujours collée à lui, frottant son bas-ventre contre son sexe gonflé qu'elle sentait au travers de son pantalon.

Il essaya de reprendre son souffle.

— Trudy, je t'en prie, non…

— Pourquoi ? Tu n'aimes pas ce que je fais ?

Elle savait qu'il aimait. Que ce soit à New York ou au Kansas, les hommes étaient tous les mêmes. Elle savait exactement ce dont il avait envie tout en sachant très bien qu'il ne le lui demanderait jamais. Mais elle allait lui donner ce qu'il attendait. Le champagne la rendait de plus en plus téméraire.

— Attends, lâche-moi, murmura-t-elle tout en se sentant encore plus excitée.

— D'accord, et tu t'arrêtes.

— Oui.

Elle commença à s'écarter de lui et il la relâcha.

Elle le lâcha à son tour et lui adressa un de ses sourires les plus enjôleurs. Cela allait être fantastique.

Il toussota, réajusta son nœud de cravate sans cesser de la regarder un seul instant.

— On devrait y aller maintenant, dit-il sans conviction.

— Je crois que tu n'as absolument aucune envie de t'en aller. Tu aimes ce qui se passe ici.

Il la fixait toujours, mais ne répondit pas.

Elle lut le désir au fond de ses yeux et s'apprêta à poser la main sur sa braguette.

— Trudy !

Il recula d'un bond.

— Tu sais que tu en as envie.

— Je…

Elle passa langoureusement sa langue sur ses lèvres.

— Tu vas *adorer* ça.

Il secoua la tête, ne réussissant même plus à prononcer une parole.

— Tu vas voir, laisse-moi faire.

Il n'avait plus la force de résister. Et lorsqu'elle ouvrit sa braguette et s'agenouilla devant lui, il ne l'arrêta pas.

La tête lui tournait lorsqu'elle eut enfin dans les mains son sexe long et dur, qu'elle le sentit battre entre ses paumes, qu'elle en apprécia la peau si douce et qu'elle respira cette senteur enivrante de mâle excité. Sa main allait et venait sur son sexe et il gémissait sous ses caresses.

Puis sa langue remplaça sa main. Elle l'entendait respirer bruyamment. Elle encercla la base de son pénis avec ses doigts et lentement, très lentement le prit dans sa bouche, centimètre par centimètre.

Des frissons de plaisir la parcoururent. Elle passa sa langue sur l'extrémité de son sexe et le sentit trembler. Continuer encore et encore. Prolonger leur plaisir. Voilà ce qu'elle voulait. Mais ils risquaient d'être interrompus à n'importe quel moment. Elle accentua ses mouvements, le caressant avec sa langue. Elle était à ses pieds, mais c'était elle la dompteuse.

Il jouit violemment, retenant son cri de plaisir entre ses lèvres.

A l'extérieur, quelqu'un essayait d'ouvrir la porte.

— C'est fermé, dit une voix de femme dans le couloir.

— Ce n'est pas possible. Il y a au moins trois cabines à l'intérieur.

Trudy s'assit sur ses talons et leva les yeux. Linc était encore appuyé contre la porte, tête renversée, yeux clos essayant de reprendre son souffle. Mais il était temps de revenir à la réalité.

L'une des femmes tambourinait à la porte.

— Il y a quelqu'un là-dedans ?

Trudy se redressa. Elle avait failli avoir un orgasme rien qu'en donnant du plaisir à Linc.

On frappa encore.

— Bon, dit la première des deux femmes. Allons chercher le directeur. Cette situation est vraiment ridicule.

Comme leurs pas s'éloignaient, Linc ouvrit les yeux et plongea son regard dans celui de Trudy. Il avait l'air complètement groggy.

— On peut se sauver avant qu'elles ne reviennent, murmura Trudy.

Il ouvrit la bouche pour dire quelque chose, la referma et hocha la tête.

— Il faut que tu bouges de là.

— Oh.

Sa voix était rauque. Il s'éloigna de la porte.

Trudy attrapa son sac, ouvrit la porte avec précaution et jeta un coup d'œil à l'extérieur. Il n'y avait personne dans le couloir ni dans l'escalier.

— La voie est libre. Allons-y.

Ils retournèrent jusqu'à leur table sans croiser personne. Ils récupérèrent leurs manteaux et prirent un taxi pour rentrer chez elle. Linc avait l'air complètement ailleurs. Il était tellement calme. Trop calme peut-être. Les effets du champagne commençaient à diminuer et elle se demanda soudain si elle n'avait pas fait une terrible erreur en se laissant guider par son instinct dans les toilettes de ce club. Peut-être bien qu'elle avait déjà tout fichu en l'air.

Le taxi s'arrêta en bas de chez elle. Elle se tourna vers Linc.

— J'ai bien peur que tu aies une mauvaise image de moi désormais.

Il cligna des yeux.

— Je crois que c'est toi qui vas avoir une mauvaise opinion de moi. Je ne peux pas croire que j'aie laissé les choses aller si loin.

Oh non. Pas question de le laisser porter le chapeau.

— Mais c'est moi qui ai commencé.

Vu sa réaction, elle en était plutôt fière.

— Et puis, je sais que je suis plutôt douée pour…

— Habituellement moi je suis plutôt doué pour me contrôler. Il s'interrompit et s'adressa au chauffeur.

— Attendez ici.

Il ouvrit la porte et aspira un peu d'air frais.

— Je reviens tout de suite.

— Linc, ce n'est pas la peine de m'accompagner jusqu'à ma porte.

— J'y tiens.

Il lui tendit la main pour l'aider à sortir de la voiture.

— Si tu sors avec un homme, il doit te raccompagner jusqu'à ta porte. N'oublie pas cela.

Vu leur petite expérience dans les toilettes, la façon dont il prenait désormais les choses en main l'irrita.

— Est-ce que l'on t'a déjà dit que tu étais autoritaire ?

— Oui, Tom me le dit sans arrêt.

Il attendait qu'elle ouvre la porte de l'immeuble pour la suivre à l'intérieur. Une fois dans l'ascenseur, il s'éclaircit la voix. Puis, il se frotta la nuque.

— Bon sang, Trudy. Je me sens vraiment mal à l'aise d'avoir profité comme ça de toi ce soir. Meg et Tom m'ont demandé de veiller sur toi et je…

— *Profiter* de moi ? reprit-elle avec irritation. Mais comment diable peux-tu croire que tu as profité de moi ?

— Tu avais bu trop de champagne ! Et, en plus, c'est moi qui l'avais commandé.

— Je n'en avais pas bu tant que cela ! Et je savais *exactement* ce que je faisais.

— Oui, mais je n'aurais jamais dû laisser les choses aller aussi loin.

Mais où diable était-il aller chercher l'idée qu'il devait s'accuser de tout ?

— Ecoute, je ne sais pas ce que Meg t'a dit lorsqu'elle t'a demandé de t'occuper de moi, mais je suis une grande fille et…

— Elle m'avait prévenu que tu étais impulsive, alors j'aurais dû m'attendre à un truc de ce genre.

Impulsive. Il faudrait qu'elle règle ça avec Meg. Dire qu'elle était impulsive revenait à déclarer qu'elle était également irresponsable et ce n'était pas le cas.

— Ce n'est pas mon style de me laisser aller ainsi, continua-t-il, osant à peine la regarder. Je n'ai pas l'habitude de perdre le contrôle de moi-même, cela me rend… nerveux.

Oh. Il n'aurait jamais dû dire cela. Même s'il n'en avait pas conscience, il venait juste de lui proposer un nouveau challenge. Ce beau jeune homme au corps d'athlète devenait nerveux rien qu'à l'idée de ne plus se contrôler ? Elle mourait d'envie de lui faire perdre de nouveau les pédales. Encore et encore. Il allait être un cobaye parfait. En un rien de temps, elle serait prête pour rencontrer d'autres hommes et avoir de nouvelles aventures.

— Mais ça va maintenant ? Tu as retrouvé ton self-control, demanda-t-elle, faussement innocente.

— Oui.

Ils étaient arrivés devant l'appartement. Elle tourna la clé dans la serrure et ouvrit la porte.

— Tu veux entrer un moment ?

Elle ne s'attendait pas qu'il accepte, mais qu'est-ce que c'était bon de s'amuser ainsi avec lui.

Il fit un pas en arrière.

— Heu, non, merci.

— Mais ça ne pose pas de problème puisque tu as repris tes esprits. Je peux te préparer quelque chose à boire.

— Merci, mais heu… heu… le taxi attend.

Elle fit mine d'être déçue.

— Très bien.

Elle enfouit sa clé dans la poche du manteau qu'il lui avait prêté et sentit un morceau de papier qu'elle sortit pour le montrer à Linc.

— Qu'est-ce que c'est ?

— C'était notre programme pour ce soir.

— Vraiment ?

Elle déplia le papier et jeta un coup d'œil à la liste qu'il avait établie.

— On n'a pas vraiment respecté l'ordre n'est-ce pas ?

— Non.

Elle le regarda avec un sourire coquin.

— Et il y a au moins une chose que nous avons faite qui ne figure pas sur cette liste.

Il rougit de plus belle.

— Trudy, est-ce que l'on peut oublier cela ? Je veux dire, pouvons-nous *vraiment* oublier tout cela, comme si ça n'était jamais arrivé ?

— On peut toujours essayer, murmura-t-elle, songeant à la liste *qu'elle* comptait préparer. L'uniforme de femme de chambre y figurerait en première place.

— Donc, je te vois demain soir ?

— D'accord. Je t'amènerai la table et les chaises ainsi qu'une pizza.

— Super.

Se dirigeant vers l'ascenseur, il se retourna.

— Quel genre de pizza ?

— Comme tu veux. Je sens déjà que je vais adorer tout ce que tu vas me proposer…

9.

Linc dormit d'une seule traite. Au petit matin, il se réveilla plein d'entrain et tout excité. Dans tous les sens du terme. Son sexe, qui avait largement été mis à contribution la veille au soir, réclamait de nouvelles attentions. Cela faisait bien longtemps qu'il ne s'était pas réveillé dans un tel état.

Allongé dans son lit, il commença à imaginer Trudy, nue, endormie entre ses draps de satin noir. Il pensa à sa peau si douce, à ses lèvres si sensuelles. Mieux valait ne pas s'attarder trop longtemps à de telles rêveries. Il bondit hors du lit, trop heureux de se rappeler que son club de gym était déjà ouvert. Il enfila à la hâte son sweatshirt et ses chaussures de sport, se cognant au passage dans la table pliante destinée à Trudy.

Il jeta un coup d'œil en passant devant son salon et se fit la remarque qu'il y avait bien trop d'antiquités dans son appartement, dont la plupart n'avaient même pas été choisies par lui. Il avait engagé un spécialiste pour meubler et agencer son intérieur. Ce matin, ce décorum lui semblait excessif.

Bon sang, ce matin *sa vie entière* lui semblait bien trop ennuyeuse en comparaison des quelques heures passées avec Trudy. Elle lui apportait un véritable vent de fraîcheur dans son quotidien si terne. L'essentiel était de garder le contrôle de la situation. Malheureusement ça n'avait pas été le cas jusqu'à présent. Pour l'instant, c'était elle qui avait pris les choses en mains. Et quelles mains. Hmm. Rien qu'à cette

100

évocation il se sentit de nouveau pris de désir. Il lui avait demandé d'oublier l'épisode des toilettes, tout en sachant très bien que *lui* n'allait pas l'oublier. Ses pensées revenaient toujours vers elle.

Il fallait absolument qu'il fasse quelque chose, qu'il bouge, qu'il sorte de chez lui s'il ne voulait pas rester planté là, à se morfondre d'envie pour elle. Il traversa le corridor jusqu'à la porte d'entrée, attrapa une parka bien chaude, claqua sa porte et, sans attendre l'ascenseur, dévala l'escalier de service jusqu'au parking souterrain. Tandis qu'il traversait le garage froid et humide, il pouvait encore sentir ses doigts chauds caresser son sexe, ses lèvres se refermer dessus...

Aucune femme ne lui avait jamais fait autant d'effet. Aucune ne l'avait jamais embarqué dans une histoire pareille, comme Trudy la veille au soir. Se retrouver coincé contre une porte dans des toilettes publiques, le costume à peine défait et une femme à genoux devant lui... Rien que le souvenir lui en donnait encore des frissons.

Quoi qu'il en soit, rien de tout ceci n'aurait jamais dû arriver. Même si cela avait été l'expérience sexuelle la plus incroyable de toute sa vie, encore bien plus mémorable que lorsqu'il avait perdu sa virginité, il n'en restait pas moins qu'il n'avait pas assumé ses responsabilités et qu'il s'était laissé dépasser par les événements.

Il s'installa dans sa voiture et mit le moteur en marche se disant qu'il devait être honnête avec lui-même. Elle ne serait jamais parvenue à ses fins s'il n'avait pas eu lui aussi une idée derrière la tête.

Il avait bien remarqué la façon dont elle buvait son champagne et lorsqu'il était descendu aux toilettes à sa suite il n'avait pas d'autre idée que de la ramener chez elle et de la mettre au lit. D'un autre côté, il avait encore en tête leur baiser échangé à Times Square. Et il avait envie de partager plus. Bien plus. Même si sa conscience lui disait nettement de se tenir éloigné d'elle et de garder ses mains dans ses poches.

Son initiative — et quelle initiative ! — l'avait complètement bouleversé. Bon, désormais il savait ce qu'il risquait avec une fille comme elle. La prochaine fois que ses pensées dévieraient un peu trop, il se chargerait de les remettre en ordre avant qu'il ne soit trop tard. Il l'avait sous-estimée. Il ne referait pas cette erreur.

Il se rendit compte qu'il n'avait pas encore bougé de son emplacement. Le moteur tournait toujours et lui restait là, assis derrière son volant à penser à Trudy.

Il continua à penser à elle en se mêlant à la circulation. Cette fille lui faisait vraiment un effet incroyable. Et ce n'était pas seulement dû à cette sensualité à fleur de peau. Lorsqu'il s'était rendu compte de ce qu'elle avait fait à ses cheveux pour avoir l'air dans le coup, il avait été amusé certes, mais également touché. Ce n'était pas évident de débarquer ainsi à New York et il admirait son courage.

Peut-être était-ce pour cette raison qu'il ne s'était pas montré plus ferme avec elle. Et pourtant il aurait dû. A peine lui avait-il accordé quelque liberté qu'elle n'en faisait plus qu'à sa tête. Il repensait à cet instant magique. La façon dont elle avait utilisé sa langue. Il avait adoré cela. Mais pourquoi diable cette expérience avait-elle eu lieu ? Nom d'un chien, il était censé prendre soin d'elle. Pas de jouir dans des toilettes publiques !

Désormais, il allait reprendre les choses en main.

Trudy se réveilla très tôt ce matin-là. Elle se fit une tasse de café et la but tout en ouvrant quelques cartons. Elle était à la recherche de ses guides sexuels. Elle allait avoir besoin d'en consulter quelques-uns si elle voulait être à la hauteur ce soir.

Elle devrait aussi discuter avec Meg, mais il était encore trop tôt pour l'appeler. Elle devrait attendre 9 heures ou mieux 9 h 30. Elle ne voulait pas lui sauter dessus dès son réveil et que son amie la qualifie encore *d'impulsive*. D'ailleurs à ce sujet, elle aurait deux mots à lui dire.

Après tout, peut-être n'avait-elle pas vraiment tort. Il fallait bien reconnaître qu'elle était plutôt… spontanée.

Sa petite aventure avec Linc en était un parfait exemple. Elle n'avait rien planifié du tout. Mais à le voir là devant elle, tellement sexy, appuyé sur la porte des toilettes… Qu'aurait-elle bien pu faire d'autre ? N'importe quelle autre fille dans ces circonstances… Même Meg aurait fait la même chose.

A 9 h 30 son téléphone sonna. Elle se demanda si cela pouvait être Linc. Son cœur battit un petit peu plus fort.

— Tu dormais ? demanda la voix de Meg.

— Oh, c'est toi, s'écria-t-elle.

— Bien sûr. Qui veux-tu que cela soit ? Tom et Linc viennent juste de sortir faire une partie de tennis et tu ne connais personne d'autre ici.

— Ils sont partis au tennis ?

Elle aurait préféré imaginer Linc s'ennuyant d'elle devant une tasse de café. Il ne risquait certainement pas de penser beaucoup à elle s'il devait se concentrer sur les balles que Tom lui renvoyait.

— Oui, ça leur arrive de jouer le dimanche matin.

— Alors comment as-tu trouvé Linc ?

Elle coinça le cordon du téléphone entre sa joue et son épaule et commença à déguster un beignet.

— C'est pour cela que je t'appelle, répondit Meg. Il avait l'air distrait. Un peu dans les nuages.

Trudy se lécha les doigts et sourit.

— Parfait.

— Comment cela parfait ? Est-ce que vous ne vous entendez pas bien tous les deux ?

— Bien sûr que si. On s'entend très bien. Surtout si on considère le fait que tu lui as dit que j'étais du genre impulsive.

— Et alors ? Tu *es* impulsive.

— Je suis spontanée, Meg. C'est complètement différent.

— D'accord, si tu le dis. Mais qu'est-ce que tu entends par « on s'entend très bien » ?

Trudy se mit à rire, incapable de garder plus longtemps les détails croustillants de leur soirée. Meg était la seule personne avec qui elle pouvait les partager.

— Tu te souviens de mon livre qui suggérait de faire l'amour dans des endroits inhabituels ?

Elle se cala au fond de son lit. La voix de Meg résonna dans l'écouteur.

— Vous avez couché ensemble ?

Trudy sourit en imaginant son expression.

— Tu te souviens de la scène dans les toilettes ?

— Oh, mon Dieu. Tu n'as pas fait cela !

— Si. Je l'ai fait.

Trudy savourait l'instant présent. Installée dans son lit aux draps en satin à déguster des beignets et à bavarder avec sa meilleure amie. Virtue semblait à des milliers de kilomètres.

— En fait, j'étais descendue aux toilettes pour arranger mon maquillage. J'avais bu pas mal de champagne, donc quand il a vu que je ne remontais pas, il est descendu pour voir si tout allait bien.

Meg semblait complètement excitée.

— Je ne peux pas le croire. Tu l'as attiré là-bas ?

— Non, il pensait vraiment que j'étais malade et que je ne voulais rien lui dire. Il est entré et m'a dit qu'il ne me laisserait pas sortir tant que je ne lui aurais pas dit la vérité. Au lieu de cela…

Elle s'interrompit pour ménager son effet.

— C'est moi qui l'ai convaincu de le laisser m'occuper de lui.

— Vraiment ?

— Meg, c'était génial de le faire là-bas. Tu devrais essayer ça avec Tom.

Son amie n'en croyait pas ses oreilles.

— Incroyable ! Tu as fait jouir Linc Faulkner dans les toilettes pour dames ? Je parie que notre petit génie de Wall Street n'avait jamais eu droit à un tel traitement avant cela.

— Vu son comportement, je ne crois pas. Il n'arrêtait pas de se repentir.

Meg rit avec délices.

— Ça ne m'étonne pas. Linc n'a jamais complètement éliminé son héritage puritain. Tu as donc décidé qu'il serait ton premier amant new-yorkais ?

— J'en ai bien peur. Mais c'est juste pour m'entraîner, tu sais.

— Oh, j'adore cette idée.

— Tu sais, j'ai découvert que j'avais quelque chose qui jouait en ma faveur. Quand il était adolescent, Linc avait le béguin pour la femme de chambre de ses parents. Et devine quoi. Je lui ressemble.

— Il te faut un costume d'employée de maison, répliqua Meg aussitôt.

— Gagné. Tu crois que je peux en trouver un aujourd'hui ?

— Oh oui. Et je vais même t'y aider.

Et c'est en discutant de ses plans avec Meg qu'elle se rendit compte que oui, cette fois ça y était. Elle vivait enfin à New York, une ville où tout était possible, même le dimanche.

Elle ne tenait plus en place. Elle sauta hors du lit et commença à arpenter la pièce.

— Bon, j'ai aussi besoin d'un paravent pour le salon. Comme cela je pourrais me changer derrière. Tu sais où je pourrais en trouver un d'occasion ?

— Je sais exactement où tu peux trouver cela. Oh, cela va être génial. As-tu besoin d'accessoires ? On pourrait peut-être…

— Hé attends ! Je ne gagne pas tant d'argent que ça !

— Considère que c'est ton cadeau d'anniversaire.

— Trois mois en avance ?

— Peu importe les détails. On discutera de cela dès que tu seras ici. Combien de temps te faut-il pour arriver ? On a plein de choses à faire.

Trudy commençait déjà à se déshabiller.

— Je serai là dans vingt minutes.

Trois heures plus tard, épuisée mais triomphante, Meg mit Trudy dans le bus les bras chargés de tous ses cadeaux de Noël et d'anniversaire pour les deux prochaines années. Elles avaient trouvé pour presque rien un magnifique paravent peint à la main dans une boutique d'occasion. Il serait livré chez Trudy un peu plus tard dans l'après-midi.

Le meilleur de l'histoire c'était que Meg percevait déjà des signes avant-coureurs intéressants chez son amie. Ses yeux brillaient dès qu'elle parlait de Linc et elle ne semblait pas s'apercevoir qu'elle souriait béatement dès que Meg prononçait son nom. Meg avait un peu de mal à garder sa joie pour elle mais elle tenait bon. Le moment de triomphe viendrait plus tard. Trudy était tellement sûre d'elle, certaine de ne pas tomber amoureuse. Mais elle avait tort.

Après avoir laissé Trudy, elle prit elle aussi un bus qui la ramènerait bientôt chez elle. Avec un peu de chance, elle trouverait Linc chez eux en train de regarder une émission sportive à la télévision avec Tom, comme ils le faisaient souvent après avoir joué au tennis.

Tout semblait en effet se dérouler selon ses souhaits entre Linc et Trudy mais elle ne voulait prendre aucun risque. Elle savait très bien que Trudy était la femme parfaite pour lui, mais son amie était peut-être un peu trop enthousiaste parfois. Même si elle approuvait l'idée de l'uniforme d'employée de maison, il y avait encore l'infime possibilité que Linc soit effrayé à l'idée de mettre ses propres fantasmes en pratique.

Comme prévu, lorsqu'elle entra dans l'appartement elle trouva les deux hommes installés dans le canapé devant un match.

— Salut chérie.

Tom se leva d'un bond et s'empressa vers elle.

— Salut, Meg, dit Linc en se levant également.

— Assieds-toi, Linc.

Elle se haussa sur la pointe des pieds pour embrasser son mari, appréciant au passage le goût sucré de ses lèvres. Meg lui sourit et chuchota dans son oreille.

— Il se passe quelque chose.

Discrètement, il fit un mouvement de la tête en direction de Linc. Elle acquiesça.

La mi-temps arriva.

— Je ne peux pas croire qu'ils fassent match nul, dit Tom en se levant.

— Moi non plus, répliqua Meg en lui souriant.

Tom la fixa du regard, amusé.

— Je suis sûr que tu ne sais même pas quelles sont les équipes en train de jouer.

— Bien sûr que si je le sais. Des super-costauds avec de belles fesses.

Tom quitta la pièce pour préparer des sandwichs et Meg coula un regard vers Linc. Elle n'avait pas beaucoup de temps, elle devait donc entrer tout de suite dans le vif du sujet.

— Il faut que je te parle de Trudy.

Linc s'étrangla avec sa bière.

— Il y a quelque chose que tu dois savoir avant que tu n'ailles la rejoindre ce soir. Elle…

— Meg, je…

Il se sentait rougir et commença à tousser.

— Je suis vraiment désolé. Je me sens vraiment stupide d'avoir laissé les choses tourner ainsi et je te promets que cela n'arrivera plus.

Dieu du ciel, heureusement qu'elle avait décidé de lui parler. C'était bien ce qu'elle pensait. Le puritanisme de ses ancêtres coulait encore dans ses veines. Trudy saurait certainement en venir à bout, mais elle pourrait également en avoir rapidement assez et laisser tomber. C'était hors de question.

— J'espère au contraire que cela se reproduira. Ou autre chose du même genre.

Il la regarda, interloqué.

— Je croyais que tu voulais que je veille à ce qu'elle n'ait pas d'aventures dès ses premiers jours ici.

— Pas avec des inconnus qui pourraient lui créer des ennuis ou la décevoir. Tu es le seul que j'approuve sur la liste, mais je ne pouvais rien dire plus tôt. Cela aurait vraiment semblé bizarre.

Linc restait sans voix. Puis il se reprit.

— Cela semble toujours étrange, Meg. Tu sais, je n'ai jamais eu ce genre de conversation avec qui que ce soit de toute ma vie.

— Oh, je te crois. Je sais que c'est une situation inhabituelle, mais il y a une chose que tu dois savoir. Trudy a bien l'intention de mettre ses fantasmes en pratique avec quelqu'un d'ici… et je crois que c'est toi qu'elle a choisi.

— Quoi ?

— Il faudrait au moins que tu satisfasses ses premiers désirs. Tu comprends, elle a l'air d'être sûre d'elle-même, mais au fond elle est très vulnérable. Et si elle entreprend de te séduire et que tu la rejettes, elle sera complètement déprimée. Au contraire, si tu joues le jeu, elle prendra confiance en elle et sera plus forte pour affronter ses prochaines aventures.

Linc se prit la tête dans les mains.

— Hé bien ! Je ne sais plus quoi dire…

— Je considère cela comme un service que tu me rends.

Il lui sourit, toujours incrédule.

— Un service ?

108

10.

A l'extérieur, la neige tombait doucement. L'appartement de Trudy était plongé dans une semi-obscurité. C'était ce qu'elle avait trouvé de mieux pour affronter ce moment, si décisif, qu'elle allait passer ce soir avec Linc.

Elle ne s'était pas attendue que l'uniforme de femme de chambre soit aussi moulant et encore moins à se sentir excitée rien qu'en l'enfilant. Mais c'était la tenue la plus provocante qu'elle n'ait jamais portée et savoir qu'elle la revêtait dans le but de troubler un homme et de l'inciter à coucher avec elle lui faisait déjà beaucoup d'effet. Elle sentait déjà des contractions de plaisir dans son bas-ventre.

Le superbe balconnet intégré au corsage lui faisait un décolleté magnifique. Un petit tablier blanc, un bonnet et des poignets en dentelle blanche complétaient la tenue. Le plumeau était l'idée de Meg, et le vendeur lui avait conseillé des bas résille. Cela faisait une éternité qu'elle avait envie d'en porter, avec un porte-jarretelles. Sans oublier une paire de talons aiguilles de dix centimètres qui devait faire craquer son beau New-Yorkais.

Il fallait que Linc entre de lui-même dans l'appartement. Elle avait décidé de déverrouiller sa porte à l'avance. Le temps qu'il pénètre à l'intérieur, elle irait en vitesse se cacher derrière son paravent. Et tandis qu'il installerait la table et les chaises, elle discuterait avec lui, faisant mine de terminer de s'habiller. Lorsqu'elle serait certaine qu'il ait terminé son installation et aurait enfin les mains libres, alors elle ferait son apparition.

Bon, mais que devrait-elle faire *exactement* après cela ? D'après Meg, pas la peine de s'en faire. Linc était un homme normalement constitué et une fois le choc initial passé, *lui* saurait exactement quoi faire. Et puis le lit était juste à côté…

C'était vraiment le hasard qui le lui avait fait installer dans le living-room hier et aujourd'hui elle ne regrettait pas du tout son choix. Tout était prêt. Elle avait même ouvert le couvre-lit et placé une boîte de préservatifs sous l'oreiller. Son magnétophone, qui se déclenchait à la voix, était caché sous le lit. Rien qu'à s'imaginer la scène, Linc et elle en train de faire l'amour et l'appareil qui les enregistrait, à l'insu de devinez-qui, elle en était tout émoustillée.

La première aventure sexuelle de sa nouvelle vie allait commencer d'ici peu. Enfin si on ne tenait pas compte de l'épisode dans les toilettes. Mais ceci n'avait été qu'un préambule condamné à n'être que de courte durée. En revanche, ce qui allait se passer ce soir durerait aussi longtemps qu'ils le souhaiteraient. Maintenant que tout était clair, elle était vraiment heureuse que Linc soit le premier sur la liste.

A 19 heures précises, la sonnette retentit. Elle s'approcha de la porte et regarda par le judas. Linc portait un jean, un polo et une veste en cuir noir. Des flocons de neige brillaient dans ses cheveux bruns. Pendant un instant elle se demanda si elle irait jusqu'au bout de son numéro de charme. Il sonna de nouveau. Elle enleva la chaîne de sécurité.

Linc n'avait encore pris aucune décision. Il se tenait là, devant la porte de Trudy et, si les informations de Meg étaient justes, Trudy s'apprêtait sûrement à lui sortir le grand jeu. Dans l'après-midi, il avait passé sa vie sentimentale en revue et s'était beaucoup attardé sur le « phénomène » Trudy. Sans l'avoir jamais admis, il avait toujours suivi le même schéma dans sa vie amoureuse. Il éprouvait tellement de crainte à l'idée du mariage qu'il avait toujours inconsciemment choisi des femmes froides, peu portées au romantisme, ce qui lui avait évité toute implication sérieuse dans ses relations.

Puis Trudy était arrivée. Trudy et son lit trônant au milieu de son salon. Trudy et son indéfectible enthousiasme. Grâce à elle la vie était devenue plus vibrante. D'après Meg, il suffisait de suivre Trudy dans tous ses fantasmes, toutes ses envies sexuelles afin qu'elle ait suffisamment confiance en elle et en son pouvoir de séduction. Puis chacun reprendrait son chemin. Trudy lui avait bien fait comprendre qu'elle voulait vivre de nombreuses aventures. Une fois leur relation terminée, les choses seraient certainement faciles à vivre pour elle. Mais pour lui c'était moins sûr. Pour la première fois de sa vie il doutait de son indifférence à laisser une femme s'éloigner de lui.

Il ne voulait pas avoir à se poser de questions. Il voulait que sa vie continue le même chemin tranquille qu'avant l'arrivée de cette enjôleuse sirène débarquant de son Kansas natal. S'impliquer sexuellement dans une relation avec elle risquait de l'amener à s'impliquer émotionnellement. Et c'est lui qui se retrouverait au bord du chemin à soigner son cœur blessé tout en la regardant courir vers de nouvelles aventures.

Comme Trudy n'avait pas répondu à son premier coup de sonnette, il sonna une nouvelle fois et il lui sembla entendre du bruit derrière la porte. Peu importe ce qu'elle avait en tête, il ferait face. Il attendit sur le palier qu'elle lui ouvre la porte.

La porte resta fermée, mais il l'entendit chuchoter.

— Entre, Linc, je termine juste de m'habiller.

Cela suffit à l'alerter. Quel piège lui tendait-elle ? S'il voulait le savoir il n'avait pas d'autre choix que de suivre ses indications. Il posa le carton contenant la table contre le mur et s'apprêta à ouvrir la porte. Au même moment, il entendit un cri. Puis un bruit sourd.

Il poussa la porte, la pizza toujours à la main, pour découvrir Trudy étalée sur son lit, le nez dans les couvertures, ses jambes gainées de bas résille lui offrant une vue très appétissante. L'effet fut fulgurant. Il sentit son sexe durcir.

— Fichues chaussures ! Elle se retourna en râlant et s'assit tant bien que mal à la tête du lit.

— Mais qu'est-ce que c'est que cette tenue ?

Ses joues rosirent légèrement et elle réajusta la toque de dentelle blanche sur ses cheveux. Puis elle lui lança un regard de défi.

— A ton avis ?

Un rêve éveillé. Elle s'était emparée de son fantasme et l'avait mis en scène. Il la fixa du regard, observant ses seins moulés dans ce bustier si serré qu'ils ne demandaient qu'à s'en échapper, le petit tablier blanc qui reposait à l'emplacement exact de son pubis et les bas résille qui moulaient parfaitement ses jambes superbes.

Un frisson de désir le parcourut. Désespérément, il essaya de se rappeler toutes les bonnes raisons de ne pas entamer une aventure avec elle.

— Ne te gêne pas. Tu peux rire si tu en as envie, lui lança-t-elle. Ceci était supposé être une petite surprise pour toi. Je pensais que cela te rappellerait Belinda et que l'on pourrait s'amuser un peu tous les deux.

— Oh.

Il était tellement stupéfait qu'il ne trouvait plus ses mots. Il avait été complètement dingue de penser qu'il pourrait lui résister. Toute volonté semblait l'abandonner dès qu'il se trouvait en sa présence. Apparemment, elle n'en avait pas conscience.

— Bien, puisque j'ai totalement raté mon coup, autant passer à autre chose et manger cette pizza. Je dois avoir l'air complètement ridicule.

— Pas du tout.

Il se débattait avec un désir si violent qu'il court-circuitait jusqu'à ses pensées les plus rationnelles. La voir ainsi sur ce lit incroyable dans cette tenue qui lui rappelait tant de fantasmes était plus qu'il n'en pouvait supporter. Entre la lueur des bougies qui éclairait doucement la pièce et les notes de saxo qui résonnaient dans l'air, il avait l'impression d'être acteur dans une vidéo réservée aux adultes. Et il connaissait parfaitement son rôle.

— Tu essaies juste de me consoler. Mais j'aurais dû passer un peu plus de temps à m'entraîner à marcher avec ces fichues chaussures.

Elle se pencha au bas du lit, y attrapa la seconde chaussure et l'enfila.

Il retint un soupir. A sa façon de se comporter, il était clair qu'elle n'avait aucune idée de l'effet qu'il lui faisait. Elle était certaine d'avoir raté son coup. Mais chaque courbe de son corps, chaque mouvement qu'elle faisait le tentait bien plus qu'elle ne pouvait l'imaginer.

— Tu n'as qu'à déposer la pizza sur le comptoir là-bas. Elle lui désigna la minuscule cuisine tout en jetant un coup d'œil du côté de la porte d'entrée qu'il avait laissée ouverte.

— Je suppose que la table et les chaises sont toujours dans le couloir ?

— Oui.

Il les avait complètement oubliées. Il déposa la pizza encore chaude dans la cuisine. Le temps d'en ressortir et de revenir dans le salon, Trudy avait déjà mis la main sur le carton contenant la table et les chaises et le portait à l'intérieur.

Dans de telles circonstances, un gentleman proposerait son aide à une femme. Un voyou lui, se contenterait de l'observer, matant ses fesses à chacun de ses mouvements. Un voyou ne s'encombrerait pas de bonnes manières et n'aurait qu'une idée en tête. Lui arracher son porte-jarretelles et sa petite culotte en dentelle noire. Face à cette adorable employée de maison en uniforme, le gentleman qu'il était se muait en voyou.

Elle ferma la porte d'entrée à clé avant de se retourner vers lui.

— Je suppose que nous devrions installer cela et manger la pizza avant qu'elle ne soit froide.

Il toussa et s'éclaircit la voix.

— D'accord.

113

— Tu fais vraiment des efforts pour ne pas éclater de rire, n'est-ce pas ?

— Non, je…

— Tu veux que je te dise. Si je m'y étais mieux prise avec ces chaussures avant que tu n'entres et que je sois arrivée vers toi en me pavanant, mon plumeau à la main, je suis bien certaine que je t'aurais fait perdre les pédales.

— Tu as un plumeau aussi ?

Bon sang, il avait regardé Belinda utiliser le sien lorsqu'elle faisait le ménage dans la villa de ses parents. Lorsqu'il écoutait la cassette sur laquelle il l'avait enregistrée tandis qu'elle couchait avec le maître d'hôtel, il avait compris qu'elle l'utilisait également d'une tout autre façon. Réservée aux moments intimes.

— Oui. Tu trouves que cela fait trop cliché ? Il est encore derrière le paravent.

— Hum…

— Tu as raison, c'est probablement trop. Et le costume, qu'est-ce que tu en penses ? Peut-être que j'aurais dû essayer de trouver un véritable uniforme. Cela aurait été plus élégant.

Elle ne se rendait pas du tout compte à quel point elle pouvait être sexy dans cette tenue. L'élégance, il n'en avait absolument rien à faire à l'instant présent. Tout ce qu'il voulait c'était une bonne partie de jambes en l'air bien torride.

— Je sais. Je ressemble à une prostituée. Ou du moins à l'idée que je m'en fais puisque je n'en ai jamais vue. Et toi ?

— Oui.

— Vraiment ! Et est-ce que tu… sans vouloir être indiscrète, as-tu déjà loué les services de quelqu'un… Enfin, je veux dire… as-tu déjà payé une femme pour coucher avec toi ?

— Non. Et pour ta gouverne tu ne ressembles pas du tout à une prostituée.

Il s'attendait qu'elle apprécie sa remarque. Au lieu de cela elle sembla déçue.

— Eh bien, si je ne ressemble ni à une prostituée ni à une véritable employée de maison c'est que cet uniforme doit être un véritable désastre. Ce n'est pas avec cela que je vais exciter un homme.

— Je ne dirais pas cela.

Elle sourit.

— Tu crois que j'arriverai quand même à mes fins en le portant ?

— Heu, heu…

— Tu es très fair play, Linc. Ecoute, fais-moi plaisir. Laisse-moi m'entraîner à marcher sur ces échasses. Il est clair que cela n'aura plus aucun effet sur toi après ma chute sur le lit, mais j'ai dépensé de l'argent pour tout cela et un de ces quatre j'aimerais bien réussir à épater un homme avec cette tenue.

Elle oscilla jusqu'à la cuisine.

— Si tu veux bien installer la table et les chaises, je me charge des assiettes et des sets.

C'était bien la situation la plus surréaliste dans laquelle il ne se soit jamais trouvé. Elle avait tout mis en œuvre pour le séduire, mais après avoir raté son entrée elle avait complètement abandonné son plan. Il semblait qu'elle n'ait plus envie d'exercer ses charmes sur lui. Et bien sûr, maintenant c'est lui qui rêvait de la voir passer à l'action.

Il sortit la table et les chaises du carton.

— Où veux-tu que je les installe, lui demanda-t-il.

— Dans le coin près de la fenêtre.

Il installa le mobilier où elle le lui avait demandé, pas très loin du lit. Il n'avait jamais mangé de pizza dans la chambre d'une femme jusqu'à présent. Vu comment les choses avaient tourné, il allait manger sa pizza et s'en aller. Il avait désespérément cherché une solution pour ne pas craquer, mais tout cela était devenu inutile. C'était elle qui abandonnait la partie.

Il était en train de placer les chaises autour de la table lorsqu'elle arriva derrière lui.

— Voici votre dîner, mon seigneur.

115

La soumission sous-jacente du terme le troubla. Mais peut-être n'était-ce qu'une simple plaisanterie. Il se retourna se disant que la note de provocation qu'il avait cru entendre dans sa voix n'était sûrement que pure imagination de sa part. Elle le regarda en battant des cils et lui fit une révérence en signe d'obéissance. Mais ses yeux verts étaient une véritable invitation.

Linc la regardait. Sa gorge était sèche.

— S'il vous plaît. Soyez indulgent. J'ai raté le début, mais je peux peut-être encore sauver la soirée.

Il frémit d'excitation. Elle avait finalement décidé de le séduire.

— Que voulez-vous que je fasse ? demanda-t-il.

Elle jeta un coup d'œil à la table pliante.

— Pensez-vous qu'elle soit assez solide pour me supporter ?

Son cœur résonnait dans sa poitrine tandis qu'il essayait d'imaginer ce qu'elle avait en tête.

— Dans quel but ?

— En tant que seigneur du château, vous apprécierez certainement que je vous aide à vous alimenter.

Oh ciel, ça allait être fantastique. Il n'avait jamais joué à aucun jeu érotique et il brûlait d'impatience.

— Je pense que cette table sera assez solide, répondit-il d'une voix rauque d'émotion.

Elle grimpa sur la table avec précaution, écarta lentement ses jambes et laissa ses pieds se balancer dans le vide. Etendant le bras, elle installa l'assiette entre ses cuisses.

Une pizza installée au beau milieu d'une paire de jambes emprisonnées dans des bas résille. Plus jamais il ne serait capable de manger une pizza sans penser à ce moment.

Elle lui indiqua la chaise en face d'elle.

Il prit place. L'odeur de la pizza et du fromage fondu se mêlait à l'odeur de leurs désirs. Son jean le serrait étroitement.

Elle le regarda.

116

Soutenant son regard, il glissa une main entre ses seins. Un simple mouvement du poignet et son corsage glissa découvrant un mamelon dur et impatient.

— Grands dieux, mon seigneur.

— Un problème ?

Un feu brûlait dans ses veines, mais il essayait de garder un ton aussi neutre que possible comme s'il était vraiment le maître et elle la domestique sans autre choix que de lui obéir.

— Un peu de pizza, mon seigneur ?

Son cerveau bouillonnait d'idées toutes plus sulfureuses les unes que les autres. Et la pizza ne l'intéressait plus du tout. Il voulait quelque chose d'autre.

— Ce n'est pas assez chaud.

Elle se mordit la lèvre, son souffle de plus en plus court.

— Vraiment ?

— Je veux quelque chose de chaud à manger, Trudy.

Il utilisait son prénom pour la première fois, l'incluant dans le jeu, pour mieux jouer son propre rôle.

Elle bredouilla.

— Pensons-nous à la même chose ?

— *Mon seigneur*, ordonna-t-il.

— Pensons-nous à la même chose, mon seigneur ?

— Oui. Soulève ta jupe et ton tablier.

Ce qu'elle fit, lui présentant le petit triangle de dentelle noire dissimulant son intimité.

— Ecarte ça.

Glissant sa main entre ses cuisses, elle obéit aussitôt. La dentelle blanche qui encerclait ses poignets était comme un symbole de sa soumission, rendant ses gestes encore plus érotiques. Son vernis à ongles rouge vif ajoutait une note très sexy à l'ensemble.,

117

Le soupir de plaisir de Linc se confondit avec les notes du saxo-
phone. Il la fixait entre les cuisses, fasciné. Les boucles humides de sa
toison noire frémissaient chaque fois qu'elle reprenait son souffle.

Il attrapa ses fesses à deux mains et l'approcha du bord de la table.
Puis il écarta sa chaise.

— Ça a l'air délicieux, murmura-t-il. Et vraiment très chaud.

11.

L'ambiance était de plus en plus torride. Enflammée de désir, Trudy haletait. Rien ne l'avait préparée à ce moment où elle jouissait de voir Linc la tête entre ses cuisses.

Elle sentit sa langue sur son sexe et se sentit défaillir. Jamais encore elle n'avait ressenti une telle chaleur entre ses cuisses et ce n'était que le début…

Linc murmurait. Il la trouvait belle. Elle l'excitait. Ses paroles l'amenèrent presque à l'orgasme. Il colla sa bouche contre son intimité, l'embrassant, la mordillant, la léchant. Sa langue allait et venait sans retenue, allumant un véritable brasier dans son ventre. Elle perdit toute inhibition, allongée sur cette table, écartant les cuisses autant qu'elle le pouvait, haletant, soupirant, gémissant.

— S'il te plaît, fais-moi jouir, *maintenant,* balbutia-t-elle.

Il redressa la tête et la fixa de ses yeux bleus assombris de désir. Sa voix était rauque.

— S'il vous plaît, faites-moi jouir, *mon seigneur.*

Rien qu'à ses paroles, elle se sentit défaillir. Elle balbutia. « S'il vous plaît, mon seigneur. Elle cramponnait toujours la table et murmura de nouveau. Oh, je vous en prie, mon seigneur… »

Ses yeux brûlaient d'excitation et il haletait autant qu'elle.

— Et si je n'en ai pas encore fini avec toi ? Peut-être qu'il me plaît de continuer à jouer avec toi et de te faire attendre… ce dont tu as tellement envie.

Puis sa langue redescendit sur son ventre et glissa entre ses cuisses. Il répondit à sa demande. Et de quelle façon. Ses cris de plaisir se mêlaient au bruit de sa langue sur son sexe et un orgasme fulgurant la submergea, l'orgasme le plus intense de sa vie.

Il changea de position tandis qu'elle tremblait et haletait encore, glissant un bras sous elle et passant l'autre dans son dos. Il repoussa la chaise d'un pied et elle l'entendit lui chuchoter au creux de l'oreille.

— Passe tes jambes autour de moi et tiens-toi à mon cou. Je t'emmène sur le lit.

Et c'est ainsi qu'elle se retrouva, les seins nus et son sexe chaud et humide pressé contre sa taille. Elle sentit la ceinture de son jean contre ses cuisses lorsqu'il se redressa et l'emporta.

Elle posa la tête au creux de son épaule continuant à ressentir les derniers tressaillements de l'orgasme.

— Tu as des préservatifs, demanda-t-il, traversant le court espace jusqu'au lit.

— Oui, mon seigneur.

Son cœur battait à tout rompre. Elle était venue à New York pour y vivre de nouvelles expériences. Elle était en plein dedans.

— Où cela ?

— Sous l'oreiller.

— Tu es une vilaine coquine, tu le sais ? Il lui pinça la nuque. Je devrais te demander de me déshabiller, mais j'ai bien peur que tu sois trop lente.

Elle commençait à recouvrer ses esprits et se dit qu'elle adorerait le déshabiller. Cela aussi faisait partie de son fantasme. Elle releva la tête pour le fixer des yeux.

— Je vous en prie, laissez-moi vous déshabiller, mon seigneur.

— Si tu ne le fais pas comme je l'entends, alors tu auras des gages.

Elle frémit rien qu'à cette idée. Il avait complètement plongé dans le jeu avec elle et elle aimait sa façon de participer.

— Certainement, mon seigneur, répondit-elle humblement.

— Très bien.

Il l'assit sur le lit, les jambes dans le vide. Elle apprécia cette sensation. Ne pas toucher terre. Ne pas avoir le contrôle. Etre à sa merci. Relevant les yeux vers lui et admirant au passage la belle… et prometteuse érection qui gonflait son jean, elle sut qu'elle avait trouvé le partenaire idéal pour répondre à ses fantasmes et inaugurer son lit.

Il s'approcha suffisamment d'elle pour qu'elle puisse l'atteindre.

— Tu peux commencer par ma chemise.

Elle posa les mains sur lui, les fit glisser sur sa taille et sortit les pans de sa chemise du pantalon. Il s'approcha plus près, se glissa entre ses cuisses. Ils étaient tout proches maintenant. Elle le sentait trembler.

Elle leva sa chemise, admirant ses abdominaux et ses pectoraux. Elle approcha son visage et chatouilla de sa langue son téton gauche, juste au-dessus de son cœur.

Il la gronda.

— Je ne t'ai rien demandé de tel.

— Pardonnez-moi, mon seigneur.

Il commença à inspirer de plus en plus profondément.

— Tu vas avoir des gages.

— A votre service, mon seigneur.

Le téton droit subit le même sort.

Poussant un profond soupir, il fit un pas en arrière et enleva sa chemise qu'il jeta par terre.

— De nombreux gages… Je ferais aussi bien de m'occuper moi-même de mes chaussures.

Il les enleva.

— Voyons voir un peu si tu es plus douée avec mon pantalon.

Il était absolument splendide. Elle avait tellement envie de lui ! Ses mains tremblaient tandis qu'elle détachait son jean et en baissait le fermeture Eclair. Elle se souvenait parfaitement de son sexe, sa taille, sa douceur. Elle en eut l'eau à la bouche comme si elle allait lui prodiguer les mêmes caresses que la veille au soir.

— C'est bien trop long, mademoiselle.

Il refit un pas en arrière et fit glisser son jean à terre.

Mademoiselle. Elle frémissait de plaisir. Linc était vraiment à la hauteur. Il était complètement entré dans le jeu. Elle pouvait à peine en croire sa chance. Pas plus qu'elle ne pouvait s'empêcher d'admirer son corps ni ce renflement qui gonflait son caleçon.

— Je vais terminer cela moi-même, dit-il.

Il retira ses chaussettes, puis le caleçon rejoignit lui aussi le sol.

Devant lui, Trudy écarquillait les yeux d'admiration. Le prélude de la veille lui avait seulement permis d'entrevoir ce que Linc avait à lui offrir. Et c'était un magnifique cadeau qu'elle avait sous les yeux.

Il s'approcha d'elle, les yeux brûlants.

— Maintenant, tu vas avoir tes gages pour avoir été aussi lente.

Son pouls s'accéléra et une nouvelle vague de désir la saisit.

— Tu vas faire ce que je te dis et je vais t'utiliser selon mon bon vouloir.

— Oui, mon seigneur.

Elle baissa le regard en signe d'humilité et de soumission. Cela lui convenait tout à fait. Elle pouvait ainsi contempler son pénis à loisir. Linc avait une superbe érection qui couvrait tout son bas-ventre.

— Enlève tes chaussures.

Trop heureuse. Ces satanées chaussures n'avaient été qu'une source de désagréments depuis le début de la soirée.

— Mets-toi à genoux, face à moi. Il jeta un coup d'œil au baldaquin. Et tiens-toi au montant.

Ce qu'elle fit, réalisant qu'ainsi ses seins lui arrivaient directement sur le visage. Apparemment c'est ce qu'il avait en tête car il tira sur son corsage pour le lui descendre bien en dessous de la poitrine mettant ainsi ses seins encore plus en valeur.

— Parfait, murmura-t-il. Ne bouge pas.

Sa langue parcourut sa poitrine, lapant sa peau humide tout en évitant soigneusement la pointe de ses seins comme s'il savait qu'elle brûlait de sentir sa langue à cet endroit.

Elle poussa ses seins en avant et gémit. Il se mit à rire, se moquant d'elle.

— C'est moi qui décide, *mademoiselle*.

Puis en soupirant, il attrapa son sein gauche.

— Mais tu as raison, j'en ai envie moi aussi.

Il se mit à sucer avidement le bout de son sein tout en caressant l'autre. Elle sentait l'orgasme tout proche. Jamais elle ne s'était sentie aussi excitée. Sa respiration s'accéléra et elle ferma les yeux pour se concentrer sur les délicieuses sensations que lui procurait son amant.

Il écarta la bouche de son sein et elle gémit, frustrée. Puis il caressa son sein droit et lentement se mit à le lécher aussi. Une nouvelle vague de chaleur la saisit et elle commença à haleter. Elle était proche de l'extase. Il ne manquait plus qu'une caresse, un peu plus appuyée.

Elle lâcha le montant du lit d'une main, qu'elle glissa entre ses cuisses. Il attrapa son poignet.

— C'est moi qui commande, dit-il d'une voix impérieuse. Et tiens-toi au montant tant que je n'en ai pas terminé avec tes seins.

Elle baissa la tête vers lui, s'excusant du regard.

— Tu es incroyable, murmura-t-il, baissant pour un instant son masque d'arrogance. Puis il s'éclaircit la voix et la regarda en fronçant les sourcils.

— Tu vas me donner ce que je veux, dit-il d'un air sévère.

— Oui, mon seigneur.

— Tout ce que je veux, murmura-t-il, caressant son sein, le prenant dans sa bouche, le suçant. En même temps, il passa sa main entre ses cuisses, insinuant ses doigts à travers l'élastique de son slip en dentelle. Il joua avec son sexe, la caressant fermement, ses doigts allant et venant en elle. Excitée, elle se pressait, se frottait contre sa main et son slip fut rapidement baigné de son plaisir.

Collant sa bouche à la sienne il se mit à l'embrasser passionnément tandis qu'il lui maintenait les poignets dans le dos. Elle s'appuyait contre son torse, enserrant son pénis entre ses cuisses. Remuant légèrement les hanches, elle commença une danse sensuelle autour de son sexe si dur. Sous prétexte de ne s'intéresser qu'à son propre plaisir, il lui avait donné deux orgasmes époustouflants. C'était certainement ce qu'il avait en tête depuis le début.

Il écarta ses lèvres d'à peine quelques millimètres des siennes.

— A quatre pattes, mademoiselle. En me tournant le dos.

De nouveaux frissons la parcoururent. Décidément, il avait de la suite dans les idées. Et elle était prête à le suivre dans tous ses fantasmes.

Il s'écarta d'elle et la fit s'agenouiller comme il le souhaitait. Elle sentait son regard fixé sur ses fesses.

— Baissez-moi un peu ce postérieur.

Elle ne s'était jamais sentie aussi vulnérable et obtempéra aussitôt.

— Encore. Cela suffit maintenant.

La pointe de son sexe cognait contre son intimité.

— Remonte un peu. Voilà. Ne bouge plus.

Sa voix tremblait un peu, mais il avait gardé ce ton arrogant qui la faisait tellement frissonner. Dans la vie de tous les jours elle n'aurait jamais supporté qu'un homme s'adresse à elle de cette façon, mais là son attitude était incroyablement érotique.

L'oreiller tomba par terre lorsque Linc se saisit du paquet de préservatifs.

Le bruit de la pochette que l'on déchire, le claquement du latex et ses mains emprisonnant ses fesses... Ses doigts se faisaient pressants, la voulant prête.

— Ouvre-toi, ordonna-t-il.

— Oui, mon seigneur.

124

Un feu brûlant courait dans ses veines tandis qu'elle lui obéissait.

— Tu es là pour me servir.

Il écarta le morceau de dentelle qui lui gênait le passage.

Elle ferma les yeux de plaisir tandis qu'il la pénétrait.

— Et tu n'as rien à dire. C'est moi qui décide de tout.

D'un mouvement de hanche, il plongea complètement en elle.

— Ooooh, oui.

Il avait déjà atteint son point le plus sensible. Il se retira puis plongea de nouveau en elle.

— Oui, qui ?

— Oui, mon seigneur.

— C'est mieux. Beaucoup mieux.

Il attrapa ses hanches et se mit à gémir tout en maintenant un rythme soutenu.

— C'est vraiment… vraiment mieux.

Elle était sans voix, nageant dans une extase sans fin. Son sexe allait et venait en elle accentuant sa jouissance à chaque mouvement.

Le rythme s'accéléra soudain. Les cuisses de Linc battaient contre ses fesses tant ses mouvements s'amplifiaient. Elle s'entendit crier, gémir. Elle attrapa les draps de soie entre ses mains, les griffa dans son désir de se raccrocher à quelque chose, tentant de lutter contre la tempête qui se déchaînait en elle.

Lui contrôlait tout. Les mouvements, le rythme, son plaisir, tout dépendait de lui et seulement de lui. Tout ce qu'elle était capable de faire c'était de rester à sa disposition, lui permettant de lui offrir un troisième orgasme.

Il accéléra encore et encore. Elle haletait, sentant l'orgasme tout proche. Tout près. Le rythme devint frénétique et les cuisses de son amant claquèrent de plus en plus fort contre ses fesses. Maintenant. *Oui*. Son corps vibra d'une fulgurante explosion de couleurs et de lumières. Une sensation incroyable et inédite l'envahit. Au même moment il fut lui aussi emporté par un plaisir intense, son sexe plongé au plus profond d'elle.

A genoux sur le lit, Linc cherchait à reprendre son souffle après l'orgasme puissant qui s'était emparé de lui. Il n'avait jamais rien connu de tel. Jamais joué à un quelconque jeu érotique. Aucune femme ne s'était jamais prêtée à aucun fantasme pour lui. Et maintenant il savait qu'il avait vraiment raté quelque chose.

Il s'écarta d'elle afin que tous deux puissent reprendre une position plus confortable et se détendre. Mais il ne voulait pas qu'elle s'éloigne de lui. Il avait adoré leur petite fantaisie et n'avait aucune envie de mettre fin au jeu.

— Trudy, murmura-t-il en l'aidant à s'allonger. Je reviens… je reviens tout de suite.

La tête lui tournait un peu, mais il réussit à trouver la salle de bains, surtout grâce aux bougies qu'elle avait disposées le long du chemin… comme si elle avait deviné qu'il aurait besoin de s'y rendre.

Il se débarrassa du préservatif. Puis il se tint un moment devant le lavabo, s'examinant dans le miroir. Que lui arrivait-il donc ? Ils n'avaient passé que deux soirées ensemble et elle faisait déjà ce qu'elle voulait de lui. Elle était la chose la plus excitante qui lui soit arrivée depuis bien longtemps. C'était incroyable et effrayant en même temps.

Deux jours plus tôt, il n'aurait jamais imaginé se retrouver nu dans cet appartement. Nu et heureux de l'être. Sans aucune intention de s'en aller. Tout ce qu'il voulait désormais c'était se retrouver avec elle dans ce lit immense et continuer jusqu'à l'aube à y jouer comme ils venaient de le faire.

Mais cela pourrait bien commencer à poser problème. Passer tant de temps au lit avec une femme risquait de l'amener à s'impliquer dans une relation plus sentimentale que sexuelle. Il ferait bien mieux de s'habiller et de rentrer chez lui. Et de mettre un peu de distance

126

entre eux. Mais ce n'était pas ce qu'il voulait. Il voulait continuer à profiter de son corps. Son corps qui s'accordait tellement bien au sien. Poussant un soupir de résignation, il sortit de la salle de bains. Il manquait de volonté pour retourner chez lui. Autant l'admettre. Quoi que Trudy eût en tête, il voulait le partager avec elle.

Il s'attendait à la trouver allongée sur le lit en train de l'attendre. Mais elle n'était pas là. Elle n'était nulle part. Ni dans la cuisine ni vers la table.

— Trudy ?

— Je me change, lui répondit-elle, cachée derrière le paravent. Puis un bas résille apparut sur le haut du panneau, lui rappelant les moments intenses qu'ils venaient de vivre. Un second bas rejoignit le premier.

A l'idée de l'imaginer nue derrière le paravent, son sexe durcit instantanément.

— Tu te changes… *en quoi ?*

— Aucune importance.

Avec elle, *tout* était important. Il brûlait d'impatience.

Son porte-jarretelles apparut lui aussi à côté des bas.

— Linc…

— Oui.

Il tremblait d'attente.

— Je crois que tu devrais partir maintenant.

Partir ? Il était abasourdi.

— Tu es fâchée ? Est ce que j'ai fait quelque chose qui…

— Oh non. Tu as été magnifique. J'ai adoré.

— Alors pourquoi…

— Parce que je veux garder une part de mystère.

Il faillit se mettre à rire mais se retint. Elle avait l'air sérieuse et n'aurait guère apprécié de l'entendre rire. Pourtant le mystère n'avait rien à voir avec ce qu'il ressentait pour elle. Peut-être bien que cet uniforme lui avait rappelé ses fantasmes à propos de Belinda, mais la personnalité de Trudy avait rapidement pris le dessus et effacé toutes les envies qu'il avait jadis éprouvées pour la femme de chambre.

Le costume avait joué son rôle et la mise en scène avait accru son excitation. De toute façon, il était fou d'elle et elle n'avait pas besoin d'ajouter quoi que ce soit pour qu'il soit à sa merci.

Toutefois ce n'était pas le genre de discours qu'il allait lui faire maintenant. La meilleure chose à faire était de partir comme elle le lui demandait et de rentrer dans son superbe appartement… tellement ennuyeux.

— D'accord.

Il se retourna à la recherche de ses vêtements.

— De toute façon, il faut que j'aille dormir. Demain, c'est lundi et je dois aller travailler.

Il se devait de penser à elle. Elle commençait un nouvel emploi et ne pouvait pas se permettre d'arriver au bureau complètement groggy après une nuit entière passée à faire l'amour.

— Est-ce que tu penseras à moi demain à ton travail ? lui demanda-t-elle.

Toute la journée.

— Oui, certainement. Je n'ai pas l'habitude de passer d'aussi bons moments avec une femme de chambre. Trudy, c'était parfait. Absolument parfait.

Il ne pouvait pas partir sans le lui dire. Il n'avait jamais rien vécu de comparable. Mais il craignait de se dévoiler. Il fallait qu'elle continue à penser qu'il était toujours aussi à l'aise, sexuellement parlant, et que chacune de ses aventures le satisfaisait autant.

— Alors, peut-être aimerais-tu recommencer un de ces jours ?

Ouf. Tout n'était pas terminé.

— Cela se pourrait.

— Quand ?

Tout de suite. Et si ce n'est pas maintenant alors le plus tôt possible.

128

— Demain soir ? dit-il, essayant de répondre avec nonchalance.

— Je crois que je suis libre. Si j'ai un empêchement, je t'appelle.

— D'accord. Même heure ?

— Parfait.

Il n'en revenait pas. Ils étaient en train de prendre rendez-vous comme pour aller boire un café ou voir un film.

— Je te vois demain, alors.

— Oui. Oh Linc, j'ai vraiment apprécié que tu me donnes l'occasion de vivre une aventure ici.

— A votre service, mademoiselle.

Et voilà, rien qu'à l'écouter, il avait une nouvelle érection.

12.

Toute la matinée, Meg brûla d'envie de savoir comment s'était passée la nuit de Trudy et de Linc. A l'heure du déjeuner, elle emmena Trudy dans un petit restaurant où personne du bureau ne se rendait. Ainsi, elles seraient parfaitement à l'aise pour discuter sans craindre des oreilles indiscrètes.

Elle la poussa à l'intérieur du restaurant et toutes deux prirent place sur une banquette en vinyle, à l'écart des autres clients.

— Il faut *absolument* que tu me racontes votre nuit. Je veux tous les détails…

Une serveuse apparut pour prendre leur commande. Une fois qu'elle fut repartie vers la cuisine, Meg se pencha vers Trudy.

— Alors, il a apprécié l'uniforme ?

Trudy posa ses mains sur la table en formica. Ses yeux brillaient.

— Hum, hum.

— Dis-moi tout.

Elle se cala sur sa chaise et l'écouta lui décrire le déroulement de la soirée qui commençait par sa chute due aux talons aiguilles. Meg sourit. Elle soupçonna Trudy de ne pas lui dire exactement *tout* ce qui s'était passé. Mais elle lui en révélait bien assez pour qu'elle sache quelle soirée brûlante ils avaient passée tous les deux. Elle était ravie. Son plan fonctionnait à merveille.

— Il est resté toute la nuit ?

A peine eut-elle prononcé ces mots qu'elle les regrettait déjà. Elle ne devait pas avoir l'air trop impatiente qu'une relation plus sérieuse s'établisse entre eux.

— Oh, mais je n'avais pas du tout l'intention de le garder chez moi la nuit entière.

Elle s'interrompit tandis que la serveuse s'approchait.

— Mmm. Ça sent vraiment bon.

— Attention à vous, annonça la serveuse. C'est brûlant.

Meg fut déçue qu'ils n'aient pas passé la nuit ensemble. Cela aurait signifié qu'une histoire sérieuse était en train de naître.

— Alors, qu'as-tu fait lorsqu'il a quitté la chambre ?

— Je suis sortie tout de suite du lit et suis allée me cacher derrière le paravent.

Meg reposa sa fourchette bruyamment.

— Tu as fait *quoi* ?

— Je ne voulais pas qu'il revienne et me trouve encore au lit.

— Et pourquoi pas ?

— Je voulais garder une touche de mystère dans notre relation.

— En lui faisant croire que tu avais sauté par la fenêtre ? Qu'est-ce que c'est que cette histoire ?

— Réfléchis un peu, Meg. Elle gesticulait avec sa fourchette pleine de légumes. Nous étions en plein fantasme, mais ce fantasme s'est interrompu de lui-même. Si Linc était revenu pour trouver la femme de chambre toujours là, alors le jeu n'aurait plus eu autant de charme.

— Eh bien, tu aurais pu te débarrasser de l'uniforme et t'allonger entre les draps. Où est le problème ?

— Oui, mais alors c'est seulement *moi*, qu'il aurait retrouvée dans le lit.

— Et ?

— Voilà le point crucial. J'en ai eu plus que ma dose d'être juste *Trudy* lorsque j'étais à Virtue et que la seule originalité de mes petits amis était de faire l'amour sur le siège arrière de leur voiture.

131

Désormais, je veux essayer tous les scénarios possibles. Je veux être une femme excitante et pleine de surprises et je veux que l'homme avec qui j'ai une liaison — en l'occurrence Linc— me considère comme telle. Toujours la même mais toujours différente. C'est pour cela que je dois garder un voile de mystère. Sinon, cela n'aura plus aucun charme.

— Oh.

— Donc, disparaître derrière le paravent était la seule solution, reprit Trudy.

— Et ensuite ?

— J'ai utilisé le paravent exactement comme j'avais prévu de le faire. J'ai enlevé ce que je portais durant la soirée, les bas résille et tout le reste et je les ai posés un à un sur le paravent tout en discutant avec lui.

— Et il n'a pas bondi derrière le paravent pour t'entraîner avec lui ?

— Non, parce que je lui ai dit que je pensais qu'il devait rentrer chez lui.

Meg essaya de cacher sa déception. Trop de mystère pouvait aussi dérouter un homme.

— Tu ne penses pas l'avoir vexé, voire injurié ?

— Je ne crois pas. D'ailleurs je lui ai dit que j'avais passé un moment merveilleux. Nous nous revoyons ce soir.

Meg attrapa sa serviette et y cacha un sourire triomphant. Il revenait. Il voulait prolonger leur relation. C'était très, très bien.

— C'est super, je suppose que tu lui prépares une autre surprise pour ce soir ?

— Eh bien, je suis allée dans une boutique acheter des menottes en fourrure que je compte bien utiliser avec ma cassette.

— Tu as aussi acheté une vidéo érotique ?

— Non, mais j'avais installé mon magnétophone sous le lit hier soir.

— Génial !

A 18 h 59, Linc avait déjà franchi le hall de l'immeuble et se dirigeait vers l'appartement de Trudy. Son pouls battait la chamade et il ressentait déjà des tiraillements dans le bas-ventre. Ils n'avaient pas parlé de dîner, aussi avait-il apporté une bouteille de vin rouge, un fromage à tartiner et des crackers. Il ne voulait pas qu'elle pense qu'il était juste là pour... bon sang, peu importe ce qu'il apportait, elle savait très bien qu'il était là pour coucher avec elle.

Quoi qu'il en soit, il se sentait plus à l'aise en apportant quelque chose. Un peu plus civilisé, peut-être. Mais pas tant que cela si on considérait qu'il songeait déjà à la façon coquine d'utiliser ce fromage. Ses propres pensées le déroutaient. Dire qu'il était dans cet état depuis qu'il l'avait quittée la veille au soir.

Tom avait bien compris qu'il se passait quelque chose entre eux et avait essayé de lui en parler, mais il s'était arrangé pour être très occupé toute la journée sans un seul instant pour une conversation intime. Il ne voulait pas en parler sans avoir repris le contrôle de la situation. Pour l'instant, il avait l'impression d'être entraîné dans des rapides sans savoir nager. Et il ne savait même pas quel autre fantasme Trudy avait en tête.

Il sonna à la porte et prit une profonde inspiration. Ce qui ne changea rien à son état de tension.

La porte s'ouvrit, mais la chaîne de sécurité resta en place. Il entendit une musique orientale et l'air était parfumé d'encens. Par l'entrebâillement de la porte il distingua ses yeux maquillés, lourds d'eye-liner et de mascara. Il devinait seulement le bas de son visage, dissimulé par un voile couleur lavande. Plus bas, il aperçut un soutien-gorge à sequins et un pantalon de harem couleur lavande également. Son érection fut instantanée.

— Qui va là ? demanda-t-elle, faisant trembler le voile avec son souffle.

Il essaya de deviner la réponse. Peut-être voulait-elle être son esclave, ce soir.

— Ton maître.

Elle baissa ses cils sombres. Puis les releva et le fixa d'un regard sévère.

— Je n'ai pas de maître. Mais j'ai beaucoup d'esclaves prêts à m'obéir. Es-tu prêt à m'obéir ? demanda-t-elle d'un ton impérieux.

Un frisson le parcourut, bloquant sa respiration. Il se demandait s'il pouvait la laisser prendre autant de contrôle sur lui.

Soudain il sut. Il sut qu'il ferait n'importe quoi pour satisfaire ce désir qui l'avait tenu éveillé une bonne partie de la nuit dernière et qui l'avait empêché de se concentrer toute la journée. Oui, il ferait tout pour cela.

— Oui, répondit-il.

— Très bien.

Elle baissa les yeux vers lui, fixant son entrejambe.

— Tu as fait le bon choix, esclave.

Elle le regarda de nouveau.

— Je vais détacher le loquet, mais tu devras attendre une minute avant d'entrer. Referme la porte derrière toi. Tu trouveras tes instructions sur la table.

— Comme il vous plaira.

— Et baisse les yeux quand tu t'adresses à moi !

A peine eut-elle prononcé ces paroles qu'il sentit la tension dans son bas-ventre s'intensifier. Avait-il secrètement envie d'être son esclave et lui laisser tout contrôle ? Cette pensée le laissa perplexe.

Elle attendait, le mettant au défi. Peu à peu, il baissa les yeux. Par l'entrebâillement de la porte il découvrit un pied nu aux ongles vernis en rouge. Elle portait également une chaîne d'or à la cheville.

Avait-elle l'intention de le ligoter ? Pourrait-il le supporter ? Avait-il le choix ? Il ne pouvait qu'obéir.

La porte se referma. Dans une minute il saurait enfin ce qu'elle avait en tête.

134

L'attente lui sembla interminable. Il ouvrit enfin la porte et entra. Il referma aussitôt le verrou selon ses instructions. Puis il traversa la pièce, le cœur battant, s'attendant à tout instant à voir des menottes et des chaînes.

Il ne découvrit rien de semblable. Peut-être son imagination travaillait-elle un peu trop… Trudy n'était pas visible. Etait-elle derrière le paravent ? Il se rendit compte que les rideaux du baldaquin étaient fermés et qu'il ne pouvait voir à l'intérieur. Il la soupçonna d'être là, reposant sur son lit, attendant qu'il approche. Il retira sa veste en cuir qu'il posa sur le dossier d'une chaise. Il regarda la table, se remémorant ce qu'ils y avaient fait la nuit dernière. Il ne serait plus jamais capable de s'y attabler sans penser à elle allongée dessus, ouvrant ses cuisses pour lui.

Il trouva une feuille de papier à côté d'un petit magnétophone à cassettes. « Mets-moi en marche, lut-il, et enlève tous tes vêtements. Lorsque tu seras prêt à être mon esclave, écarte les rideaux et demande la permission d'entrer. »

Tous ses mots avaient une connotation sexuelle. Ce n'était certainement pas une coïncidence si elle parlait d'écarter les rideaux et de demander la permission d'entrer. Chaque expression l'évoquait, lui, en train de plonger en elle.

Mais il ne toucherait pas le moindre centimètre carré de son corps tant qu'elle ne lui en aurait pas donné la permission. Il en était bien conscient. Ce soir elle décidait de tout. Elle avait certainement l'intention de le voir jouir en premier et elle voudrait aussi le voir en train de la supplier.

Le magnétophone l'intriguait. Il ne comprenait pas pourquoi elle voulait qu'il écoute quoi que ce soit, alors que la musique emplissait déjà la pièce. Pressant le bouton de l'appareil, il commença à enlever sa chemise. Il entendit quelqu'un respirer profondément ainsi qu'une sorte de clapotement. Puis un gémissement. Il se demandait si tout cela était une farce. Puis il entendit la voix de Trudy, l'implorant. *S'il te plaît, fais-moi jouir.*

Bon sang de bonsoir, elle l'avait enregistré pendant qu'il embrassait son sexe. Ses cris se mêlaient au bruit de sa bouche qui lui donnait du plaisir et il se sentit frémir.

Il était impressionné qu'elle se soit souvenue de l'épisode de l'enregistrement de Belinda et du maître d'hôtel et qu'elle ait décidé de se servir de cette histoire pour le rendre encore plus dingue.

Il posa sa chemise sur la chaise.

La bande arriva à l'épisode sur le lit. Oh oui, il se souvenait de ce moment, songea-t-il tout en se débattant avec ses lacets. C'était extrêmement excitant surtout en sachant qu'elle écoutait aussi, dissimulée derrière les voilages du lit. Avait-elle déjà écouté la cassette ? Certainement. Plusieurs fois sans doute. Il jeta ses chaussettes au loin.

Il faillit tomber en enlevant son pantalon et se raccrocha à la table, appuyant sur les touches du magnétophone en même temps. Des cris aigus et une sorte de charabia emplirent la chambre. Il mit une seconde avant de réaliser qu'il avait appuyé par erreur sur le bouton de rembobinage rapide.

Un soupir lui parvint du lit.

— Et voilà. Encore raté.

Ce fut plus fort que lui. Il se mit à rire. La cassette continuait à lancer ses cris stridents et lui continuait à rire. Malgré le comique de la chose, il n'avait pourtant qu'une envie. Se ruer sur elle.

Elle écarta légèrement les voilages et passa la tête à l'extérieur.

— Et alors ?

Il fit un gros effort pour s'arrêter de rire. Puis il lui sourit.

— Je suis désolé. Quoi qu'il en soit, c'était une idée géniale.

Au même moment la bande arriva à sa fin et le magnétophone s'arrêta.

Elle soupira.

— Maintenant ma mise en scène est complètement gâchée, on fait quoi ?

— Oh, je ne dirais pas que tout est perdu dit-il en baissant les yeux sur son anatomie. Pas de doute, l'enregistrement avait fait son effet. Et le costume de Trudy faisait le sien lui aussi.

— Tu veux que je rembobine la cassette ?

13.

Trudy le regardait, essayant de se concentrer sur son charme. Autant ne plus penser à l'échec de son plan. Que fallait-il faire maintenant ?

— Nous avons recommencé à zéro la nuit dernière, dit-il gentiment. Et tout s'est très bien passé.

— D'accord. Rembobine la cassette.

Ce serait vraiment dommage de ne pas profiter d'un homme nu et si sexy.

Il lui sourit et se retourna pour mettre le magnétophone en marche.

Mince. Elle n'avait encore jamais vraiment vu ses fesses. Eh bien là, elle avait une vue imprenable. Il se retourna vers elle, le magnéto dans la main.

— Où l'avais-tu caché, la nuit dernière ?

— Sous le lit. Il est activé par la voix.

— Par les gémissements plutôt, non ?

Leurs regards se croisèrent. La lueur de désir qu'elle lut dans ses yeux bleus et la superbe érection qui se dressait devant elle effacèrent toute trace de sa déception.

— Dis-moi, avant que tu ne presses le mauvais bouton, est-ce que l'enregistrement t'a fait de l'effet ?

— Heu, eh bien, c'était ça le problème. Je cherchais tellement à me débarrasser de mon jean que j'ai failli me casser la figure. C'est

138

en cherchant à me raccrocher à quelque chose que j'ai enclenché le mauvais bouton.

Il posa le magnéto tandis que les cris érotiques emplissaient de nouveau la pièce.

— Combien de fois l'as-tu écouté ?

Elle hésita avant de lui répondre.

— Plusieurs fois.

— Tu en as peut-être donc assez ?

— Oh non.

Au contraire, elle était de plus en plus excitée chaque fois qu'elle se repassait la bande. Surtout à entendre sa propre voix l'implorant de la faire jouir.

Elle croisa son regard et lui fit un sourire coquin.

— Que crois-tu que je puisse faire en écoutant quelque chose comme ça ?

Il déglutit mais ne répondit pas.

— Sers-toi de ton imagination. La cassette me rend vraiment folle, Linc.

— Alors laissons-la en route.

Elle se demanda ce que cela donnerait, les gémissements sur la bande mêlés à leurs paroles réelles.

— Ça va avoir l'air d'une orgie, non ?

Il la fixa dans les yeux.

— Est-ce que cela te pose un problème ?

Elle murmura.

— Non, pas du tout.

Il marcha jusqu'au lit et lui tendit le magnétophone.

— Un cadeau… de ton esclave.

Il reprenait le jeu ! Elle trouvait cela sexy en diable. Elle prit le magnéto et regarda l'homme dont la voix se mêlait à la sienne sur la bande. Maintenant c'était elle qui avait les cartes en mains.

— Lorsque je t'appelle, tu dois t'approcher et te présenter à moi, esclave.

— Je le ferai.

— Je le ferai, *maîtresse*.

— Je le ferai, maîtresse.

L'entendre s'exprimer ainsi la fit trembler de haut en bas. Elle n'avait jamais eu d'esclave à sa disposition auparavant et elle sentait qu'elle allait adorer cela.

Se repliant sous les voiles du lit, elle posa le magnétophone au milieu des coussins. Puis elle s'allongea gracieusement sur les oreillers, vérifiant que son balconnet à sequins était suffisamment ajusté pour offrir la meilleure vue possible à Linc. Quant à son pantalon de sultane, il n'était pas fermé à l'entrejambe. Pour l'instant, le tissu suffisamment large dissimulait ce petit détail qui pourrait se révéler fort pratique… lorsqu'elle l'aurait décidé.

Elle avait laissé croire à Linc qu'elle s'était donné du bon temps tandis qu'il se déshabillait. Elle aurait pu, certes. Mais si elle avait commencé à se caresser, elle aurait certainement eu du mal à ne pas aller jusqu'au bout. Et elle voulait être maîtresse d'elle-même quand il viendrait la retrouver.

Les menottes en fourrure étaient déjà positionnées aux montants du lit. Elle n'avait pas encore décidé du scénario une fois qu'elle l'aurait attaché, mais l'inspiration viendrait en temps voulu. Comme elle l'avait dit à Meg, elle n'était pas impulsive mais elle aimait la spontanéité.

— Entrez, dit-elle de son ton le plus autoritaire.

— Oui, maîtresse.

Linc la rejoignit.

Son regard était fixe, fiévreux. Avant de lui ordonner de baisser les yeux, elle voulait qu'il voie sa tenue ainsi que les menottes qui l'attendaient.

Les cris de son premier orgasme jaillissaient de la cassette. Tandis qu'ils emplissaient l'espace, Linc la regarda, comme s'il voulait rejouer la scène. Mais ce soir, c'était elle qui menait la danse. Elle tendit la main et attrapa une des menottes qu'elle lui présenta. Son regard

140

s'écarquilla. Visiblement il ne les avait pas encore remarquées. Il tourna la tête dans tous les sens, vérifiant s'il y en avait d'autres.

— Tu es bien trop sûr de toi, esclave. Il me semble que tu dois être puni. Viens ici.

Il hésitait. La bande le narguait, lui repassant ses actes de la veille, lorsque c'était lui qui commandait.

— Maintenant.

Il rampa sur le lit jusqu'à elle. D'après son regard, il hésitait entre soumission et rébellion. Cela aurait pu être agréable qu'il renverse la situation et reprenne les choses en mains, mais elle voulait vraiment le tenir sous sa coupe, juste pour voir ses réactions.

— Allonge-toi, sur le dos, ordonna-t-elle.

Il hésitait de nouveau.

— Fais ce que je te dis !

Dans son regard, le défi se mêlait à la passion.

— Oui, maîtresse.

Lentement, il s'exécuta et s'allongea sur le dos. Seule son érection se dressait fièrement.

— Bien. Maintenant, puisque tu as tenté de désobéir, tu vas te soumettre à mes souhaits.

Son corps se raidit.

Le pauvre, il semblait inquiet. Elle décida de le rassurer.

— Bien que tu sois mon esclave, je ne te ferai aucun mal. Si tu as besoin d'être relâché, demande-le-moi. Maintenant, donne-moi ta main droite.

Fixant le plafond, il tendit sa main. Elle attrapa son poignet. C'était leur premier contact de la soirée. C'était fantastique de voir comment ils s'excitaient l'un l'autre sans même se toucher. Sa peau était brûlante et lorsqu'elle posa ses lèvres au creux de son bras, elle sentit son pouls battre à tout rompre.

Les menottes fermaient par du Velcro. Elle se déplaça à genoux sur le lit et en quelques instants, il se retrouva bras et jambes attachés, complètement à sa merci, comme elle l'avait prévu. Il la regardait de ses yeux brûlants de désir. Leurs regards se croisèrent tandis qu'elle fermait la dernière menotte, et à cet instant elle sut ce qu'elle allait lui faire subir. La cassette produisait l'effet escompté, mais elle avait d'autres idées pour accroître son excitation.

Assise à genoux devant lui, elle avait une vue imprenable sur ses attributs masculins. Le corps de Linc réagissait déjà sous son regard. Elle prit garde à ne pas le toucher, le préparant ainsi au supplice.

— Et maintenant, tu vas payer pour ta désobéissance et ta maladresse, dit-elle en dégrafant son soutien-gorge.

Son regard brûlant se fixa sur sa poitrine. Tandis qu'elle le retirait lentement, son souffle devint rauque.

Jetant son soutien-gorge sur le lit, elle leva les bras au-dessus d'elle et cambra son dos. Puis elle entama une danse sensuelle, aux mouvements langoureux.

Linc ne la quittait pas du regard et les gémissements érotiques de l'enregistrement augmentaient son excitation.

Elle prit ses seins entre ses mains et les pressa doucement.

— Tu te souviens combien tu aimais les caresser ?

Sa voix était rauque.

— Oui

— Oui, *maîtresse*.

— Oui, maîtresse.

— Ce soir, tu as seulement le droit de regarder.

Elle mouilla son doigt dans sa bouche et le passa langoureusement autour de son téton, tout en continuant à soutenir son regard.

Il entrouvrit les lèvres.

L'autre sein eut droit au même traitement. Une chaleur sensuelle envahissait son bas-ventre et elle se demanda si elle pourrait continuer ainsi sans se ruer sur lui…

Elle murmura.

— C'est bon… tellement bon…

Elle continua à caresser ses seins jusqu'à ce qu'ils deviennent durs et tendus. L'orgasme montait lentement en elle…

142

— Mais je connais quelque chose d'encore meilleur. Sais-tu ce que c'est ?

Linc gémit.

— Ceci dit, j'ai bien peur que tu ne sois pas concerné.

Caressant toujours sa poitrine de sa main gauche, elle écarta les genoux et repoussa le voile de tissu qui recouvrait son sexe.

— Je vais être la seule à en profiter.

Elle glissa les doigts entre les boucles humides de sa toison et sur son clitoris gonflé d'excitation. Oh oui. Elle ferma les yeux alors que les cris de jouissance sur la bande devenaient de plus en plus forts.

Linc s'agita et poussa un cri étranglé.

Se caressant de plus en plus rapidement et respirant par saccades, elle ouvrit les yeux.

— Alors, esclave, tu ne supportes pas ta punition ?

Haletant, il fixa son regard au sien.

— Si, maîtresse.

— Bien.

S'exhiber ainsi devant lui alors qu'ils écoutaient la cassette l'excitait au plus haut point. C'était *comme* une orgie. Elle aurait aimé le torturer plus longtemps, mais elle ne pouvait plus attendre. Elle était toute proche de l'orgasme. Elle pinça la pointe de son sein et accéléra ses caresses entre ses cuisses.

— Je vais jouir, esclave, murmura-t-elle, tandis que ses jambes commençaient à trembler.

Linc se tordait sur le lit, mais il ne lui demanda pas de le libérer et demeura les yeux fixés sur elle. Il la regardait, secoué par des frissons.

L'orgasme la saisit, sa vue se brouilla et elle se mit à gémir longuement.

Linc était persuadé qu'il allait avoir un orgasme en même temps qu'elle, mais il s'y refusait. Il voulait se retenir et y parvint malgré le spectacle torride que Trudy lui offrait.

Pourvu qu'elle n'ait pas de trop nombreuses surprises de ce genre en réserve. C'était complètement dingue d'avoir été ligoté au lit de cette façon et obligé de la regarder pendant qu'elle se caressait et se donnait du plaisir. Il n'aurait jamais accepté ce type d'expérience par le passé.

Aucune femme ne s'était jamais livrée à lui de cette façon, pas même Gisèle, l'artiste française.

Trudy l'avait entraîné sur des chemins inconnus. Elle l'avait placé dans la pire des positions qu'il ait pu imaginer et curieusement cela l'excitait au plus haut point. Tout son corps tremblait de désir.

Le magnétophone s'arrêta. La petite séance de Trudy avait coïncidé avec celle de la cassette. Avec elle à ses pieds et la cassette à hauteur de ses oreilles, il avait écouté deux orgasmes en stéréo. Cette femme était diabolique. C'était aussi la maîtresse la plus sexy qu'il n'ait jamais eue.

Elle prit une profonde inspiration, se rassit et arrangea son voile.

Remarquant son sexe toujours superbement dressé, elle eut une moue d'approbation.

— Remarquable contrôle de soi, esclave.

— Merci, maîtresse.

— Evidemment, nous avons les moyens de vous faire craquer.

Elle caressa lentement ses testicules.

Il déglutit.

— Sais-tu que je pourrais mettre fin à ton supplice en un rien de temps ?

Elle encercla son pénis de ses doigts.

Oh, qu'elle le fasse, oui. Il serra les dents.

— Oui, maîtresse.

Elle se pencha au-dessus de lui et son voile le chatouilla. Puis elle recommença à le torturer. Déposant son voile sur son pénis elle en prit le bout dans sa bouche. Il sentait la pression de ses lèvres et de sa langue à travers le voile et cela le rendit fou.

Il se mit à gémir. Elle s'interrompit un instant et il sentit son souffle sur sa peau mouillée.

— Est-ce que cela risque de te faire jouir ?

— Très certainement, maîtresse.

— Alors, je vais devoir arrêter. Parce que je ne veux pas que tu jouisses. En tout cas, pas maintenant.

Il la trouvait bien bavarde. Peut-être parce qu'elle avait déjà eu son premier orgasme.

— J'aime te voir nu, lui dit-elle. Mais tu es un peu trop nu, à mon goût.

Elle rampa par-dessus lui et tendit la main vers un des oreillers.

Sa poitrine lui caressa le visage au passage. Elle le faisait certainement exprès. Elle avait l'air d'apprécier de le voir dans cet état, si excité et complètement à sa merci.

Elle prit un préservatif dans la boîte.

— Je vais te seller, esclave et entamer une petite chevauchée.

Il se sentit tout étourdi à cette idée. Enfin, il allait pouvoir plonger son sexe en elle.

— Cela risque d'être une chevauchée de courte durée, maîtresse.

— Nous allons voir cela.

Elle déroula le préservatif avec habileté. Il dut serrer les dents pour s'empêcher de jouir.

— Vous êtes très douée… pour cela, maîtresse.

— Je me suis entraînée. Elle lui fit un clin d'œil malicieux. Sur des concombres. Ils poussent partout, même dans le Kansas !

Elle se mit à rire et se lécha langoureusement les lèvres.

Puis elle s'installa à califourchon sur lui.

Elle glissa ses doigts dans le triangle entre ses cuisses et plongea son regard dans le sien tout en se caressant.

Les yeux troubles, il la regardait. Elle en connaissait un rayon pour exciter un homme.

Elle continuait à le fixer de ses yeux sensuels, ses doigts allant et venant lentement en cet endroit précis où il brûlait de s'introduire.

— As-tu besoin de quelque chose, esclave ? Tu as l'air... bien impatient.

— Vous savez de quoi j'ai envie, maîtresse.

— Et toi, est-ce que tu sais ce que *moi*, je veux ?

Hypnotisé par ses doigts qui la caressaient, il ne put que secouer négativement la tête.

— Je veux que tu m'implores.

Cela, il devait pouvoir le faire. Les mots surgirent de sa gorge serrée.

— S'il vous plaît, maîtresse.

— S'il vous plaît, *quoi ?* Que veux-tu que je fasse ?

— Enfourchez-moi.

Son corps était complètement tendu et couvert de sueur.

— S'il vous plaît, *maîtress*e, enfourchez-moi.

— Peut-être vais-je m'y résoudre.

Appuyant ses mains sur son torse, elle se pencha en avant jusqu'à ce que son sexe moite se trouve juste au-dessus de son pénis impatient. Il sentait ses doigts humides sur sa peau et sa poitrine se balançait de façon provocante. Brûlant de la pénétrer, il levait ses hanches vers elle, cherchant son sexe.

— Doucement, susurra-t-elle en s'éloignant de lui. C'est moi qui dirige les opérations, pas toi.

Il n'en pouvait plus et commença à haleter.

Elle se replaça au-dessus de lui... et commença à s'empaler sur son sexe. Puis elle s'interrompit.

— Tu aimes ça ?

Impossible de parler. Il gémit.

— Je prends cela pour un oui. D'accord esclave. Tu as suffisamment souffert.

Elle s'écarta de nouveau de lui.

— Trudy !

— Calme-toi, murmura-t-elle, se mettant à tripoter les menottes. Je crois qu'il vaut mieux que je ne te laisse pas ainsi trop longtemps. Il crut qu'elle parlait de son niveau d'excitation. Il essayait tellement de se retenir qu'il ne s'aperçut pas qu'elle l'avait libéré. Elle était de nouveau au-dessus de lui.

— Tu es libre, chuchota-t-elle, s'abaissant sur lui.

Il déglutit et attrapa ses fesses.

— Reste tranquille !

— Non.

Elle résistait, tentant de lui échapper.

— Trudy, si tu ne restes pas tranquille, je vais…

— Je sais. Moi aussi. Moi aussi, Linc !

Il la relâcha, elle remua une fois, deux fois et tout fut terminé en un orgasme simultané qui les laissa heureux, gémissant et riant en même temps.

Incroyable. Fermant les yeux il continua à aller et venir en elle, incapable de résister au plaisir d'être encore en elle, même après l'orgasme.

Elle s'allongea et passa ses lèvres sur les siennes.

— Très agréable, esclave.

— Tout le plaisir était pour moi, maîtresse.

Soupirant d'aise, il garda les yeux fermés et savoura le moment présent. Il étendit les bras vers elle, voulant la tenir serrée tout contre lui. Il n'en eut pas le temps. Elle avait déjà bondi hors du lit.

— Repose-toi, murmura-t-elle.

Il sombra dans un demi-sommeil, percevant seulement les notes de musique qui flottaient dans l'air. Il sentit soudain qu'on lui passait un gant de toilette humide sur le torse.

— Mmm, parfait.

Trudy pensait vraiment à tout. La toilette au gant fut suivie d'une serviette douce qu'elle lui passa sur le corps. Il était complètement détendu, à tel point qu'elle put même passer la serviette sur son sexe sans l'éveiller pour autant. Puis il sentit vaguement qu'elle s'éloignait, mais n'eut même pas la force de poser une question.

Elle revint peu après et lui posa doucement quelque chose sur la poitrine. Quelque chose de vaguement familier.

— Je t'ai apporté tes vêtements, lui dit-elle gentiment. Quand tu seras habillé, tu pourras partir.

Il écarquilla les yeux. *Partir ?* Qui donc voulait s'en aller ? Certainement pas lui. Il tourna la tête pour protester, mais elle avait déjà disparu derrière les voilages du baldaquin.

— Trudy ? Il était tellement bien quelques instants auparavant... Il s'assit sur le lit, ce qui eut pour résultat de faire glisser ses vêtements par terre.

— Trudy, ne me refais pas le coup du paravent, d'accord ? Est-ce que l'on ne pourrait pas se faire un petit câlin ?

Pas de réponse.

Il écarta les voilages, attrapa ses vêtements et se leva.

— Trudy, sors de derrière ce paravent. C'est stupide.

Tenant ses vêtements contre sa poitrine il se dirigea vers le paravent pour la convaincre de revenir au lit avec lui. Jusqu'à présent il n'avait pas réalisé l'importance d'un câlin après le sexe. Les magazines masculins recommandaient toujours aux hommes d'être tendres avec leurs partenaires après l'amour, présumant que les hommes, eux, n'avaient pas besoin de cette tendresse. Lui en avait besoin.

Il bondit derrière le paravent s'attendant à la trouver là en train d'enlever sa tenue de sultane. Mais elle n'était pas là. Flûte.

C'était vraiment bizarre, ce qui lui arrivait. Physiquement, il était comblé, mais émotionnellement il était plus que frustré. Il voulait tenir Trudy contre lui. Juste la tenir. Ça n'était rien d'extraordinaire, mais cela allait le devenir s'il ne parvenait pas à ses fins. Il partit à sa recherche et se retrouva devant la porte de la salle de bains fermée. Il entendait des bruits d'eau à l'intérieur et l'appela.

— Trudy ?

— Je suis sous la douche.

La douche. Voilà une option intéressante. Son corps commença à réagir à l'idée de Trudy en train de se laver. Peut-être n'était-il pas aussi comblé qu'il le pensait. Il tourna la poignée et se rendit compte qu'elle était verrouillée.

Peut-être n'avait-elle pas apprécié qu'il ne lui propose pas le même service, lorsqu'elle l'avait lavé quelques instants plus tôt.

— Je n'ai pas été à la hauteur ? demanda-t-il, à travers la porte.

Elle avait l'air amusée.

— Grands dieux, non. Tu as été fantastique.

— Alors pourquoi as-tu poussé le verrou ?

— Je préserve le mystère. Tu verras, plus tard tu me remercieras.

Il avait envie de se taper la tête contre le mur. Oh, très bien. Meg lui avait demandé d'entrer dans les fantasmes de Trudy pour l'aider à accroître sa confiance en elle. S'il lui disait que cette histoire de mystère était stupide, il risquait de lui faire perdre cette confiance.

Tout était parfait avec elle, sauf ce truc de disparaître à la fin. Mais ce n'était pas le moment d'en parler. D'ailleurs avant qu'ils n'en discutent ensemble il ferait bien de se demander pourquoi ça l'ennuyait tellement, *lui*.

Peut-être avait-elle raison. Peut-être devrait-il la remercier. De toute façon il ne pouvait pas partir tant qu'elle était encore sous la douche.

— D'accord, je m'en vais. Mais pas avant que tu aies terminé et que tu ne viennes fermer à clé derrière moi.

— Tu as raison. Donne-moi juste cinq minutes.

Pendant ce temps, il s'habilla. Lui demander de la revoir demain laisserait-il trop transpercer son impatience ? Certainement. Il devrait la laisser choisir la date de leur prochaine rencontre. Il faisait ses lacets lorsqu'elle lui annonça qu'elle était prête.

Il attrapa sa veste et se dirigea vers la porte.

— Bonne nuit, lança-t-il.

— Bonne nuit.

Sa voix était tellement, tellement sexy. Mais elle ne parla pas d'un nouveau rendez-vous.

Il attendit quelques secondes. Puis il craqua.

— Tu es libre demain soir ?

— Malheureusement, non.

Pendant un court instant, il se demanda si elle avait déjà rencontré un autre homme.

— Une des employées de Babcock et Trimball part à la retraite demain et il y a un dîner d'organisé. Je ne peux pas y échapper. D'après Meg, cela va se terminer tard.

Elle s'interrompit.

— Mais je suis libre mercredi soir.

Il n'hésita pas une seconde.

— A quelle heure ?

— Comme ce soir ? 19 heures ?

— Je serai là.

— Parfait.

Sa voix était pleine de promesses.

Ses paroles résonnaient encore à ses oreilles lorsqu'il quitta l'appartement. Visiblement elle avait apprécié la soirée autant que lui. Enfermé dans l'ascenseur, il se dit qu'il devrait se demander pourquoi il était tellement important pour lui de la satisfaire.

Trudy attendit que la porte d'entrée soit refermée puis, vêtue de son peignoir, sortit de la salle de bains et alla pousser le verrou. Linc lui manquait déjà et elle se retint de ne pas ouvrir la porte et de l'appeler. Pour bien des raisons, c'eût été une grave erreur.

Elle devait faire attention à ne pas trop s'attacher à cet homme. Il était son premier amant dans cette ville et elle ne devait le considérer que comme un entraînement pour la suite. De nombreuses aventures l'attendaient avec des hommes qu'elle n'avait même pas encore rencontrés.

Les choses allaient trop bien entre eux. Inutile de tout fiche en l'air. Elle menait sa première aventure new-yorkaise exactement comme elle l'avait planifiée. Elle amenait de la fantaisie dans la vie sexuelle de son amant, puis le congédiait, créant le manque avant qu'il ne se lasse d'elle... ou devienne trop sûr de leur relation.

Elle le savait. Dès que l'habitude s'installait, l'ennui faisait de même. La variété des expériences qu'elle vivait avec Linc devrait pouvoir empêcher cela. Il était toujours impatient à chaque nouvelle rencontre et elle voulait que cela reste ainsi.

Pourtant, elle aurait aimé ne pas le renvoyer chez lui.

Mais que faire d'autre ? Elle n'avait jamais vécu seule ni eu l'occasion de demander à un homme de s'attarder après l'amour. Peut-être était-ce seulement la curiosité qui la poussait. Mais d'instinct, elle se dit que les choses risqueraient alors de dégénérer. Avant même qu'elle ne s'en rende compte, Linc laisserait sa brosse à dents chez elle. Puis il apporterait quelques sous-vêtements de rechange et enfin même quelques vêtements.

Non, cela avait été déjà bien trop difficile d'acquérir son indépendance pour partager maintenant son appartement avec quelqu'un. Resserrant la ceinture de son peignoir, elle fit le tour de l'appartement et souffla toutes les bougies. Lorsqu'elle eut terminé, la seule lumière éclairant son intérieur était celle provenant des fenêtres des immeubles alentour.

Le front appuyé contre la fenêtre, elle regarda en direction de la masse sombre de Central Park qui se trouvait proche de chez Linc. Il devait être arrivé à son immeuble. Elle l'imagina passant le porche, saluant le portier, puis prenant l'ascenseur jusqu'à son luxueux appartement, ouvrant la porte, passant devant la statue dans le vestibule et se dirigeant vers sa chambre.

Et voilà. Lui était seul dans son grand lit froid et elle seule également dans son immense lit à baldaquin. Cela semblait absurde. Ils avaient passé un bon moment ensemble et auraient pu continuer ainsi toute la nuit si elle l'avait voulu.

Passer une nuit entière avec lui… Rien que l'idée la rendait nerveuse. Non, c'était bien mieux ainsi. Les choses se passaient telles qu'elle l'avait souhaité.

Linc décida de ne pas contrer les souhaits de Trudy. Si elle souhaitait qu'il parte, à peine leurs jeux érotiques terminés — et quels jeux ! même en rêve il n'avait jamais rien imaginé de tel — eh bien il partirait. Si, au fil des nuits, le départ devenait de plus en plus difficile, alors ce serait le signe qu'il s'impliquait trop dans cette relation. Elle savait ce qui convenait à leur relation, même si lui l'oubliait parfois.

Leurs nuits se suivaient sans jamais se ressembler. Trudy maintenait le suspense et il ne savait jamais quel scénario elle lui réservait.

Un soir elle avait utilisé un éventail en plumes d'autruches pour faire un numéro de strip-tease. Mais les plumes l'avaient fait éternuer… Une autre fois elle avait tenté une entrée spectaculaire de derrière le paravent… et l'avait complètement ratée. Un soir encore, elle avait préparé des huiles parfumées achetées en solde… pour découvrir qu'elles étaient rancies. Heureusement, le sirop de chocolat les avait avantageusement remplacées et il était fier d'avoir eu cette idée. Son comportement impulsif déteignait sur lui et à sa grande stupeur, il aimait cela.

Trudy l'excitait plus qu'aucune femme ne l'avait jamais fait, mais elle le faisait également rire et cela la rendait particulière à ses yeux.

Son souvenir préféré était la fois où elle avait acheté une poupée gonflable, qu'elle avait installée près d'eux pour simuler une tierce personne participant à leurs ébats. La valve devait être mal fermée et la poupée s'était envolée dans les airs, rebondissant aux quatre coins de la chambre.

Elle en avait été tellement déçue qu'il avait passé les deux heures suivantes à essayer de la convaincre qu'elle était vraiment spéciale à ses yeux. Cette vérité commençait à naître en lui. Trudy représentait tout ce qu'il souhaitait.

La poupée gonflable lui en apprit plus sur elle qu'il ne le pensait. Trudy voulait s'amuser, mais elle n'avait jamais suggéré quoi que ce soit de malsain et il avait plus confiance en elle qu'en aucune autre femme qu'il ait connue.

Non, coucher avec Trudy ne présentait aucun danger. Ce qui commençait à devenir dangereux, c'était de penser qu'ils faisaient *vraiment* l'amour. C'était une bonne chose qu'elle le mette à la porte de chez elle chaque soir. Une très bonne chose. Au moins l'un des deux se rappelait-il les règles du jeu.

Un autre signal de danger était son refus de discuter de Trudy avec Tom. Il lui avait toujours parlé de ses petites amies. Et visiblement, Tom voulait aussi discuter de celle-ci.

Lorsque Tom entra dans le bureau de Linc ce lundi-là, deux semaines après le début de sa relation avec Trudy, il semblait prêt pour une conversation des plus sérieuses. C'était exactement ce que lui avait essayé d'éviter et c'est d'ailleurs pour cette raison qu'il avait annulé leur partie de tennis du week-end. Il avait besoin de temps pour penser à tout cela et n'avait pas envie d'être questionné ni par Tom ni par Meg.

— Je m'inquiète pour toi, mon vieux.

S'asseyant à demi sur le bureau, Linc fit mine de ne pas comprendre l'allusion.

— Oui, le cours des actions n'est pas terrible, mais…

— Je ne parle pas de cela, et tu le sais très bien.

Tom se frottait la nuque et semblait embarrassé.

— Je sais que Meg a dit que ce n'était pas un coup monté et pourtant cela en était un. Et maintenant je me sens responsable de cette embrouille avec Trudy.

Linc se doutait bien, depuis le début, que tout cela était un coup de Meg. Il avait réalisé que cela ne le dérangeait pas autant qu'il l'aurait pensé.

— Rien de tout cela n'est ta faute. Peu importe ce que Meg avait en tête, de toute façon ni Trudy ni moi ne voulons nous impliquer dans une relation sérieuse.

C'était vrai. Trudy ne le souhaitait pas. Si lui-même commençait à modifier son point de vue vis-à-vis du mariage, c'était son problème. Une fois que cette affaire serait terminée, il retrouverait ses esprits.

Tom le regarda comme s'il allait dire quelque chose. Puis il se ravisa.

Linc percevait le trouble de Tom et pouvait presque entendre ses pensées. Il décida de changer de sujet.

— Eh bien, je suppose que nous devrions nous remettre au travail tous les deux. La Bourse n'attend pas.

— Je voulais juste te dire quelque chose.

Linc sourit.

— Et peut-être que moi, je n'ai pas envie de l'entendre.

— Tu te comportes différemment avec elle.

— Ça, c'est ton imagination.

— Je ne crois pas, mon vieux. Je déteste dire cela, mais…

— Alors ne le dis pas.

Il s'approcha de Tom et lui posa la main sur l'épaule.

— Ne t'en fais pas. Trudy est une fille chouette et nous prenons du bon temps.

Quels termes banals en comparaison de ce qui se passait chez elle !

— Un de ces quatre, nos chemins se sépareront et ce sera très bien aussi.

Tom semblait toujours soucieux.

— D'après ce que je vois, tu risques de te retrouver bientôt dans la panade. Parce que vois-tu, vieux frère, tu te comportes exactement de la même façon que moi lorsque j'ai rencontré Meg.

Linc eut l'impression de recevoir un coup de poing dans l'estomac. Mais il se força à sourire.

— Ne t'inquiète pas. Je suis blindé.

— C'est ce que je pensais de toi, mais tu as une certaine lueur dans le regard ces derniers jours qui…

Linc cherchait un moyen de sortir de cette discussion une bonne fois pour toutes. Mais Tom insista.

— Tu es bien certain que ça va avec Trudy ?

— Complètement.

— Alors tant mieux.

Tom partit enfin.

Son ami se faisait vraiment trop de souci pour lui, songea Linc. Il ne se comportait pas du tout de la même façon que lui lorsqu'il avait rencontré Meg. Tom avait plongé corps et âme dans cette relation, sortant chaque soir avec Meg, nageant dans le brouillard à longueur de journée, se désintéressant de toutes leurs activités masculines. *Sa* situation n'avait rien à voir avec celle de Tom. Son ami avait depuis longtemps prévu qu'il se marierait un jour, tandis que lui fuyait le mariage comme la peste. Mais il devait reconnaître que cette certitude commençait à s'ébranler.

Un coup frappé à la porte ouverte le tira de ses pensées. Il leva les yeux et aperçut Michèle, la jeune réceptionniste.

— Votre mère est en ligne, lui annonça-t-elle. Je lui ai demandé si je pouvais noter un message, mais elle a vraiment insisté pour vous parler. Je vous la passe ?

Il réajusta sa veste pour se donner plus d'assurance.

— Bien sûr Michèle. Je suis désolé que vous ayez dû vous déranger jusqu'ici.

— Aucun problème, Linc.

Elle lui sourit et s'éloigna.

Michèle était arrivé depuis peu chez eux et visiblement elle l'appréciait. Depuis quelque temps il semblait évident qu'elle accepterait de sortir avec lui s'il le lui proposait. Il y avait pensé avant de rencontrer Trudy. Désormais cette idée ne l'intéressait plus. Rien que cela était déjà troublant en soi.

Une conversation avec sa mère remettrait sans doute de l'ordre dans ses pensées. Ainsi que dans ses priorités. Il décrocha la ligne.

— Bonjour, maman.

— Je me demandais si tu étais devenu trop important pour parler à ta propre mère.

— Désolé. Tu sais ce que c'est ici.

— Absolument. Lorsque ton père était au bureau, je n'arrivais jamais à le joindre. J'ai fini par y renoncer. Bref, je suis à New York pour quelques jours et ton père et moi aimerions t'inviter à dîner ce soir. Tu sais, pour la réunion annuelle de notre clan.

Il fit la grimace. Elle utilisait toujours cette expression, comme si trois personnes pouvaient constituer un clan ! L'invitation tombait toujours à la dernière minute.

156

Habituellement il acceptait, se disant qu'il pouvait bien sacrifier une soirée par an à jouer cette petite mascarade de la famille unie. Peut-être avait-il enfoui au fond de lui l'espoir qu'un jour ils formeraient de nouveau une véritable famille. Pourtant sa mère résidait à Paris depuis douze ans déjà, ce qui laissait peu d'espoir de la voir vivre de nouveau avec son père dans la propriété familiale.

— Est-ce que 20 heures te conviendrait ?

Après toutes ces années, sa mère était en droit de penser qu'il accepterait l'invitation comme d'habitude. Elle continuait donc la conversation comme s'il avait déjà répondu par l'affirmative.

— J'ai réservé au nouveau Libanais au Village. Je suis sûre que tu le connais.

C'était le cas. Ce restaurant était habituellement bondé de célébrités, ce qui plairait à sa mère. Mais il avait prévu de voir Trudy ce soir. Il ne voulait pas annuler leur soirée, mais il ne voulait pas non plus la voir après le dîner. Ces retrouvailles avec ses parents avaient parfois tendance à s'éterniser.

— Pourrais-je amener quelqu'un ? s'entendit-il demander.

Bon sang, il n'en croyait pas ses oreilles. Il s'était laissé piéger par son impulsion.

Après un bref instant de silence étonné, sa mère retrouva sa voix.

— Bien sûr. De qui s'agit-il ?

— Elle s'appelle Trudy Baxter.

— Baxter, Baxter… Fait-elle partie de la famille Baxter de Long Island ?

Je me souviens que ton père est allé en classe avec…

— Non, elle fait partie de la famille Baxter de Virtue, dans le Kansas.

— Le Kansas ?

On aurait cru que sa mère n'avait jamais entendu parler de cet Etat.

— Et qu'y a-t-il là bas ?

157

Il ne put s'empêcher de rire. Sa mère était incorrigible.

— Des concombres, répondit-il. Ils font pousser beaucoup de concombres au Kansas.

— Est-ce que c'est… ce que fait sa famille ?

— Je ne suis pas sûr. Tu pourras lui poser la question.

Finalement il avait bien fait de suivre son envie. Il n'était pas certain que Trudy acceptât l'invitation, mais si elle le faisait, il réussirait au moins à passer cette soirée avec ses parents sans attraper mal au crâne.

— Je le lui demanderai, répondit sa mère. C'est toujours bien de savoir d'où viennent les gens et de connaître leurs origines. Bon, je te laisse. A ce soir.

Linc raccrocha et composa le numéro de Babcock et Trimball. Il n'avait encore jamais téléphoné à Trudy à son bureau, mais avait consulté son numéro une fois ou deux cette semaine. Plus vraisemblablement, une quarantaine de fois. En effet, il avait songé à l'inviter à déjeuner, mais il avait toujours repoussé cette idée, se sentant ridicule. Ce type de sortie ne faisait pas partie de leur relation. Il n'avait pas cherché à retenir son numéro et pourtant, sans qu'il en ait vraiment conscience, ses doigts le composaient déjà.

Il se sentait nerveux et toussa plusieurs fois. Mince, il faisait de ces trucs au lit avec cette femme, dignes d'une cassette réservée aux adultes. C'était absurde de se mettre dans un tel état pour une simple invitation à dîner. Mais il ne pouvait pas empêcher son cœur de tambouriner dans sa poitrine. Pourvu qu'elle ne l'envoie pas paître.

— Trudy Baxter, demanda-t-il à la réceptionniste.

Trudy était toute contente à l'idée qu'on lui passe un appel. Elle avait téléphoné à des dizaines de personnes depuis qu'elle avait commencé à travailler, mais aucune ne l'avait encore rappelée. Peut-être certains de ses prospects commençaient-ils à répondre à ses offres, elle allait pouvoir se constituer un portefeuille de clientèle, obtiendrait une promotion, déménagerait dans un appartement plus grand… non, pas de déménagement. Elle aimait son appartement et si elle était vraiment honnête avec elle-même, elle devait bien reconnaître que cela avait aussi quelque chose à voir avec Linc.

— Trudy Baxter à l'appareil, répondit-elle de son ton le plus professionnel. En quoi puis-je vous aider ?

— En venant dîner avec moi… et mes parents ce soir.

Elle faillit lâcher le téléphone.

— Linc ?

— Bonjour Trudy. Je parie que cela t'étonne de m'entendre au bout du fil en pleine journée.

— Heu, oui.

Sa voix au téléphone lui faisait déjà beaucoup d'effet. Son bureau n'était en fait qu'une sorte de cabine constituée de cloisons qui donnaient un peu d'intimité, mais sans plus. Elle pouvait entendre les voix de ses collègues, les sonneries des téléphones et le cliquètement des claviers à travers les murs. Mais tout ceci disparut au son de la voix de Linc. C'était comme s'il n'y avait plus qu'eux deux. Elle se sentit tout excitée.

— Ma mère vient juste de m'appeler. Elle veut que je vienne dîner avec mon père. C'est un truc qu'elle organise une fois par an, mais je ne sais jamais à quel moment l'envie va l'en prendre.

Trudy avait du mal à se concentrer sur ses paroles. Tout ce qu'elle retenait, c'était le timbre de sa voix, habituellement synonyme de sexe. Elle réussit à décrypter ses paroles et décida de refuser l'invitation. Cela ressemblait trop à une sortie en amoureux.

— Linc, ne t'inquiète pas à propos de notre rendez-vous de ce soir. Tu as bien le droit de sortir dîner avec tes parents. Peut-être que si tu ne rentres pas trop tard, nous pourrons…

— Non, tu n'as pas compris. Je voudrais que tu viennes. Vraiment. L'idée de me trouver avec mes parents qui jouent encore au couple marié m'épuise déjà et t'avoir à mes côtés me ferait vraiment plaisir. Bien sûr, je comprendrais tout à fait que tu refuses. Cela te semble peut-être bien ennuyeux.

Rien ne lui semblerait jamais ennuyeux du moment qu'elle était avec lui. De plus, elle était curieuse de voir ses parents.

— Ne sois pas idiot. J'adorerais venir. Comment dois-je m'habiller ?

Ça c'était une question-piège. Elle s'était habillée et déshabillée pour lui de mille et une façons la semaine passée. Ces souvenirs la firent frissonner. Elle serra ses cuisses l'une contre l'autre.

Il lui répondit, la voix troublée.

— Ce que tu portais samedi dernier irait très bien.

Elle rit et décida de le taquiner, juste pour vérifier s'il était sur la même longueur d'onde qu'elle.

— Je suppose que l'uniforme de femme de chambre serait… inapproprié ?

Il y eut une pause suivie d'un soupir à l'autre bout de la ligne.

Elle glissa une main sous sa jupe.

— Voudrais-tu que nous prolongions un peu la conversation… et que l'on s'amuse un peu ?

Sa voix était rauque.

— Je ne suis pas sûr de bien te comprendre.

— Et moi je suis certaine que tu sais de quoi je parle.

— Bon sang, Trudy !

— Personne ne peut voir ce que je fais sous mon bureau, murmura-t-elle.

Il prit une profonde inspiration.

— Mais quelqu'un pourrait entrer.

— Oui. C'est un risque. Et chez toi ?

— Ma porte est fermée.

Il prit une nouvelle inspiration.

— Dis-moi ce que tu fais ?

Son cœur se mit à battre et elle baissa la voix.

— J'ai les doigts dans mon string. Oh, je suis déjà toute mouillée, Linc.

Il gémit doucement.

160

— Est-ce que tu bandes ?

— Comme un roc. J'ai eu une érection dès que j'ai entendu ta voix.

— Ta voix me fait beaucoup d'effet à moi aussi. Elle glissa deux doigts en elle.

— C'est vrai ?

— Dès que j'ai entendu ta voix, je n'ai plus eu qu'une envie… coucher avec toi. Et maintenant je vais le faire.

Il rit.

— Je ne suis pas sûr que cela soit possible juste maintenant…

— Si, si nous jouissons en même temps.

Des frissons de plaisir la parcouraient.

— Est-ce que tu vas jouir, Trudy, demanda-t-il dans un souffle.

— Oui. Elle se caressa de plus en plus vite. Oh oui. Et toi ?

Il déglutit.

— Oui.

— Maintenant ? Elle était toute proche de l'orgasme.

— Oui, gémit-il.

Elle commença à trembler et pressa le téléphone contre son oreille.

— Oh. Moi aussi. Moi aussi.

Elle serra les dents pour retenir un cri de jouissance.

Son souffle était devenu de plus en plus rauque puis retrouva son rythme normal.

— Trudy… Tu es incroyable.

Sa voix était si proche, si intime.

Elle reprenait son souffle elle aussi.

— Tu es… tu n'es pas mal non plus.

Il avait l'air fatigué, mais heureux.

— Le dîner est prévu à 20 heures. Donc je passerai te chercher un quart d'heure avant.

— Pas plus tôt ?

Il se mit à rire avec bonheur. Si j'arrive plus tôt, nous n'arriverons jamais au restaurant. Et merci d'avoir accepté de m'accompagner.

— Elle sourit.

— Quand ? Au dîner ? Ou juste maintenant ?

Il rit de nouveau.

— Dans les deux cas. A ce soir.

15.

Trudy n'était pas sûre que Linc puisse passer un peu de temps avec elle après le dîner, mais elle lui avait quand même concocté une nouvelle surprise. Elle avait acheté trois miroirs qu'elle avait trimballés dans le bus et disposés sur les murs autour de son lit. Pour l'instant, ils étaient dissimulés par le baldaquin. Linc ne pourrait pas les voir lorsqu'il viendrait la chercher. Lorsqu'il sonna à la porte, elle attrapa son sac, enfila le manteau de cuir qu'il avait insisté pour lui laisser et sortit sur le palier.

Il fut étonné de la voir sortir si vite.

— Tu ne me laisses même pas entrer ?

— Tu m'as dit toi-même que cela serait dangereux… alors ne prenons pas de risques.

Elle lui sourit et se dirigea vers l'ascenseur. Linc portait un superbe costume sous son manteau de laine et avait vraiment fière allure. Elle avait eu raison de ne pas le laisser entrer. Si elle l'avait fait, elle aurait eu du mal à résister à l'envie de l'embrasser et elle savait très bien comment tout cela se serait terminé.

Il la rattrapa et lui prit le bras.

— Oui, mais…

— Voilà l'ascenseur.

Elle pénétra à l'intérieur et pressa immédiatement le bouton d'ouverture des portes afin qu'elles ne se referment pas au nez de Linc.

— Dépêche-toi d'entrer, car ce fichu ascenseur a la manie de fermer ses portes plus rapidement que l'éclair.

— Je sais, répondit-il. Je me bats avec cet ascenseur chaque fois.

Il la regarda droit dans les yeux.

— Quasiment chaque soir.

La façon dont il la regardait, comme si elle était son dessert favori la fit frissonner.

— Tu as raison. Tu es venu presque tous les soirs. A part mardi, lorsque j'avais ce dîner avec mes collègues et vendredi.

Il s'approcha plus près d'elle.

— J'aurais dû annuler ce rendez-vous vendredi soir.

Elle secoua la tête.

Non, lorsque tes patrons t'invitent à un match de hockey, la seule chose à faire est d'y aller.

Elle ne l'avait encore jamais vu vêtu d'un costume trois-pièces et il lui plaisait beaucoup. Ce serait vraiment agréable de lui retirer ses vêtements un à un. Peut-être en auraient-ils le temps après le dîner.

Il la dévorait du regard.

— J'ai envie de t'embrasser.

— Impossible. Tu gâcherais mon maquillage et je ne serais pas à mon avantage pour rencontrer ta famille.

Elle se demandait quelle importance ses parents accorderaient au fait qu'il invite une jeune femme à dîner avec eux.

— Cette petite réunion n'a lieu qu'une fois par an ?

— Oui. Habituellement au cours du premier semestre.

Il tendit la main vers elle et replaça une de ses boucles de cheveux derrière son oreille.

— Cet après-midi… au téléphone… c'était fantastique.

Elle ferma les yeux et soupira de plaisir.

— Oui.

— C'est tellement curieux d'être là avec toi, et de ne rien pouvoir faire.

Elle ouvrit les yeux et plongea son regard dans le sien.

— Je sais.

— Nous ne sommes pas obligés d'y aller.

Il glissa une main dans l'échancrure de son manteau et lui caressa la poitrine.

— Je peux très bien appeler le restaurant et laisser un message à mes parents.

— Voyons, Linc. Ce dîner n'a lieu qu'une fois par an. Tu dois y aller.

Elle en était convaincue, mais ses caresses lui faisaient perdre ses résolutions.

— Tu amènes toujours quelqu'un avec toi ?

La question le dérouta. Il hésita avant de répondre.

— Non.

Hmm, la délicieuse sensation. Cette toute petite réponse était une information bien plus importante qu'elle ne semblait. Trudy enchaîna.

— Mais tu as déjà amené quelqu'un ?

Elle sentit la tension le gagner.

— Non, mais…

— Aucune importance, je posais juste la question comme ça, répliqua-t-elle rapidement. Maintenant qu'elle avait obtenu sa réponse, elle n'avait aucune intention de le mettre mal à l'aise.

— Ma mère ne m'a jamais convié à dîner lorsque je sortais avec quelqu'un, répondit-il en guise d'excuse.

— Oui, je comprends.

Elle appréciait d'être la première femme qu'il invitait à rencontrer ses parents. Ce n'était déjà pas si mal étant donné qu'il prétendait ne vouloir s'engager avec personne.

— Je parie que tu veux juste les étonner en leur montrant quelqu'un qui débarque de sa campagne, reprit-elle.

Il sembla se détendre et sourit.

— Oui, c'est ça. D'ailleurs il faut que je te prévienne, j'ai dit à ma mère que tu t'occupais de plantations de concombre, au Kansas.

Trudy se mit à rire, charmée de voir la petite lueur taquine dans ses yeux.

— Tu lui as vraiment dit cela ? J'espère que tu ne lui as pas raconté comment les filles de la région les utilisent.

— Pas encore. Mais je ne peux rien te garantir quant à ce que je dirai pendant le dîner. Tu m'as complètement perverti.

— Ce n'était pas très dur.

— Et ça, qu'est-ce que tu en penses ?

Il écarta les pans de son manteau, attrapa sa main et la posa sur sa braguette.

— Tu sens ?

— Oui.

Le désir l'envahit tandis qu'elle se demandait s'ils ne pourraient pas arriver un tout petit peu en retard à ce dîner, finalement.

— Tu m'as bien dit que tu avais envie de faire ça dans un ascenseur ?

Il défit la ceinture de son manteau.

— Voici l'occasion.

Un seul regard échangé et elle se sentait prête pour lui.

— Mais attention, tu ne m'embrasses pas.

Sa voix était rauque.

— Je vais essayer. Relève ta jupe, que je puisse…

— D'abord il faut appuyer sur le bouton Stop afin que personne…

Trop tard. L'ascenseur arrivait au rez-de-chaussée et avant même que Trudy n'ait pu atteindre le bouton, les portes s'ouvrirent. A l'extérieur se tenait une femme d'âge mûr qui attendait. Linc s'écarta de Trudy brutalement qui referma son manteau.

— Bonjour, dit-elle à la femme en sortant de l'ascenseur. Je suis Trudy Baxter de l'appartement 406 et voici Linc Faulkner.

Linc sortit à son tour et maintint les portes ouvertes le temps que la femme puisse y pénétrer.

— Je vous en prie, madame.

166

— Je vous remercie, jeune homme, répondit-elle en pénétrant dans la cabine.

— Et vous êtes ? demanda Trudy

La femme se retourna, surprise par la question.

— Milicent Hightower. Je suis au 306. Vous avez bien dit que vous étiez au 406 ?

C'est à ce moment que Trudy réalisa qu'elle n'aurait jamais dû lui donner le numéro de son propre appartement. Elle fit un clin d'œil à Linc qui relâcha les portes.

Milicent reprit :

— Parce que si vous êtes au 406, peut-être pourriez-vous me dire quels sont tous ces bruits bizarres que j'entends chaque soir et qui démarrent vers…

Les portes se refermèrent, coupant court à la conversation.

Trudy piqua un fou rire.

— Je n'ai pas l'habitude de vivre dans un appartement, dit-elle tandis qu'ils se pressaient vers la sortie.

— J'avais remarqué, répliqua Linc.

— Mais je n'ai pas l'intention de traumatiser les vieilles dames. J'étais tellement excitée à l'idée d'avoir un endroit à moi que je ne me suis jamais préoccupée du bruit. Est-ce que tu avais réalisé que les gens pouvaient nous entendre ?

Il la regarda.

— Pour te dire la vérité, lorsque nous sommes en train de faire ce que tu sais, j'oublie complètement où je suis.

— Moi aussi. C'est là tout le charme de notre relation.

— On a bien failli le faire dans l'ascenseur, murmura-t-elle.

— Hum, je crois bien que oui.

— Combien de temps dure le trajet en taxi, demanda-t-elle.

— Pas assez longtemps, malheureusement.

— Dommage.

Il la regarda et lui sourit.

167

— Au fait, tu veux héler le taxi toi-même ou tu me laisses le faire cette fois-ci ?

C'était le premier taxi qu'ils prenaient ensemble depuis cette fameuse soirée où il lui avait fait découvrir Manhattan. Le fait qu'il se souvienne qu'elle avait apprécié d'appeler le taxi elle-même la toucha. Mais ses mots —*tu me laisses faire cette fois ?*— prouvaient que Meg avait raison. Il aimait faire des choses pour elle, même des petits riens comme le simple fait de trouver un taxi et elle devait lui en laisser l'occasion. Linc souhaitait pouvoir jouer son rôle de protecteur. A elle de jouer la princesse consentante et ravie.

Jusqu'à présent la sexualité avait été au premier plan de leur relation. Leurs corps s'accordaient et se répondaient de façon incroyablement impatiente. Mais ce soir elle réalisa que leur relation allait bien plus loin que le sexe seul. Que cela lui plaise ou non, elle était impliquée émotionnellement. Son cœur battait à tout rompre dès qu'elle se trouvait en présence de Linc. Dire qu'elle avait cru être à l'abri de tout coup de foudre.

— Je préfère que cela soit toi, dit-elle.

Quel plaisir de le voir sourire ainsi en entendant sa réponse. Elle décida sur-le-champ que la moindre des choses qu'elle pouvait faire pour lui ce soir serait de l'aider à surmonter ce fameux dîner.

Elle commença par lui demander les prénoms de ses parents.

— Glenda et Lincoln, troisième du nom, mais tout le monde l'appelle L.C., répondit-il.

— Et toi, tu es Lincoln le quatrième.

— J'en ai bien peur.

— Je n'ai jamais connu personne qui porte un chiffre après son prénom.

Elle se demandait si ses parents lui avaient déjà demandé de leur fabriquer un petit Lincoln, numéro cinq.

— Et que signifie le « C » ?

— Carlyle.

— Donc tu t'appelles Lincoln Carlyle Faulkner, quatrième du nom.

Il fit une grimace.

— Ne fais pas cette tête-là. Je trouve ça très sexy comme nom.

— Vraiment ? Tu ne trouves pas plutôt ça pompeux ?

— Pas du tout. Moi, j'ai un nom absolument rasoir. Trudy Louise Baxter.

— Pas du tout. C'est très gai. Comme toi.

— Ce que je veux, c'est être sensuelle et sexy.

Il prit sa main dans la sienne, la porta à ses lèvres et l'embrassa lentement.

— Tu l'es également.

— Arrête ça tout de suite, dit-elle en retirant sa main. Je me suis promis que nous parlerions de tes parents durant ce trajet. Rien d'autre.

— Je n'ai pas du tout envie de parler de mes parents. Je préfère m'occuper de toi.

Il chercha de nouveau sa main.

Qu'elle éloigna aussitôt.

— Essaie un peu de te contrôler. Et parle-moi de tes parents.

Il se cala contre le siège en soupirant.

— Bon, puisque tu insistes. Voyons voir. Papa a triplé la fortune familiale en faisant des affaires. Maman dépense autant d'argent qu'elle le peut, mais même une acheteuse invétérée comme elle ne réussirait pas à nous ruiner en une vie entière. Autant que je sache, ils se voient une fois par an, lors de ce dîner auquel j'assiste également. Je ne crois pas qu'ils se parlent beaucoup le reste du temps. Je suppose qu'ils ne divorcent pas parce qu'ils savent tous les deux que la procédure serait longue et qu'ils ne feraient qu'engraisser les avocats.

Bien qu'il ait débité tout cela d'un ton très neutre, elle sentait la déception dans sa voix.

— Ils doivent t'aimer infiniment tous les deux pour maintenir ce dîner chaque année et vous réunir ainsi.

— Je ne crois pas que cela soit à cause de moi.

— Tu ne crois pas ? Est-ce que tu vois une autre raison ?

— Ils ne le font que par devoir. C'est leur façon à eux de croire que nous sommes toujours une famille.

— Ecoute. Peu importe la façon dont ils vivent, séparés ou non. Ils sont toujours mariés et ce sont toujours tes parents. Il existe toujours un lien entre vous. S'ils ne supportaient vraiment plus l'idée d'être mariés, ils auraient entamé une procédure de divorce malgré le coût.

Il regarda droit devant lui pendant quelques secondes puis se tourna vers elle et prit son visage entre ses mains.

— Ecoute, mon incorrigible optimiste, ne crois pas que mes parents décident de vivre de nouveau ensemble un jour. Cela n'arrivera jamais.

Elle le regarda droit dans les yeux.

— Si tu en es tellement convaincu, pourquoi as-tu cette photo de vous trois dans ta chambre ?

Il soutint son regard. Lorsqu'il parla, sa voix n'était plus qu'un souffle.

— Parfois, tu en fais un peu trop, Trudy.

— Je suis désolée. Je ne voulais pas parler de choses qui ne me regardent pas.

Elle détourna le regard. Elle voulait lui apporter du réconfort, pas du chagrin.

— Hé, ça va.

Il attrapa son menton et l'obligea à le regarder.

— Linc, tu sais, je peux très bien te laisser aller seul à ce dîner. Il n'est pas trop tard. Je vais garder le taxi et rentrer chez moi.

Il secoua la tête. Un sourire se dessinait sur ses lèvres.

— Trop tard. Nous sommes arrivés. Et je veux que tu rencontres mes parents.

Durant les deux heures suivantes, Linc regarda, fasciné, ses parents qui semblaient sous le charme de Trudy. Il ne se rappelait

170

pas la dernière fois où il avait vu son père rire aux larmes, mais ce fut le cas ce soir-là.

Sa mère semblait un peu plus distante, mais Trudy trouva rapidement un sujet de conversation et elles se mirent à bavarder à bâtons rompus. Glenda peignait et voyant que Trudy manifestait de l'intérêt pour ses toiles, elle décrivit son travail avec passion. Linc ne savait pas que sa mère s'était mise à la peinture. Certaines galeries avaient organisé des expositions de son travail et elle avait déjà vendu quelques œuvres. Apparemment son époux non plus n'était pas au courant. Pour la première fois depuis des années, il avait l'air de prêter de l'attention à ce que disait sa femme. Linc se rendit compte que jusqu'à présent, lorsqu'il dînait avec eux, il avait toujours peur de leur poser des questions de crainte de toucher un point de discorde. Du coup, leurs conversations n'avaient toujours qu'un seul et même sujet : lui.

Trudy n'avait pas peur de poser des questions et sa présence avait un effet galvanisant. A sa grande surprise, Linc se rendit compte que, pour une fois, il appréciait le dîner. Si seulement il pouvait avoir Trudy à ses côtés pour tous leurs futurs dîners, il les supporterait certainement bien mieux.

Mais elle ne serait pas là les années suivantes. Pourtant chaque minute en sa compagnie ne faisait qu'attiser le désir qu'il avait d'elle. Et il avait de plus en plus de mal à se passer de ses adorables boucles et de ses fascinants yeux verts.

Alors que la fin du dîner approchait, Trudy s'excusa, quitta la table et se rendit aux toilettes. Linc se rappela immédiatement ce qui s'était passé la dernière fois qu'il l'avait vue se rendre dans des toilettes publiques et il eut faim, faim de son corps. Oui, ce dîner avait été bien plus agréable que prévu mais tout ce qu'il voulait c'était en terminer avec ces civilités, la ramener chez elle et la rejoindre dans son lit.

Sa mère attendit que Trudy soit hors de leur vue et se tourna vers lui.

— Est-ce que c'est sérieux ?

— Que veux-tu dire ?

— Je te demande si c'est sérieux entre elle et toi. As-tu l'intention de l'épouser ?

Ça, c'était une question à laquelle il était facile de répondre, car quels que soient ses sentiments, le mariage ne faisait pas partie du programme de Trudy.

— Maman, je t'ai déjà dit il y a longtemps que je n'avais pas envie de me marier.

— Je sais. Mais tu n'avais jamais amené aucune femme à nos dîners auparavant. Et puis je t'ai observé. Elle te plaît beaucoup.

— Bien sûr, mais ça ne veut pas dire que…

— Ecoute fiston, dit son père. Une fille comme ça, qui débarque d'un patelin paumé ne voit qu'une chose lorsqu'elle rencontre un homme comme toi. Un bon paquet de dollars.

Linc sentit ses joues s'empourprer.

— Je te demande pardon ?

— Ton père a raison pour une fois, reprit sa mère. Elle est absolument charmante et je vois bien que tu es amoureux mais…

— Je ne suis pas amoureux.

Linc se rendit compte qu'il parlait trop fort et baissa la voix.

— Comment pouvez-vous accuser Trudy d'en vouloir à mon argent ? Elle n'est venue à ce dîner que pour me faire plaisir et elle a fait tout ce qu'elle a pu pour vous être agréable. Tandis que vous, à peine a-t-elle le dos tourné que vous la descendez en flammes.

— Hé, je ne dis pas qu'elle est désagréable, dit son père. C'est tout à fait normal d'être attiré par l'argent lorsque l'on n'en a pas eu.

Linc se fâcha pour de bon.

— Vous allez devoir nous excuser. Il faut que nous partions.

Il devait absolument partir avant de dire quoi que ce soit qu'il regretterait ensuite. Il ne pouvait pas rester là à les écouter insulter Trudy.

— Oh Linc, reste, dit sa mère. Il n'est pas question de dénigrer ta petite amie. Mais nous pensons à ton avenir.

— Trudy est la meilleure chose qui me soit arrivée depuis bien des années. Si je devais me marier, c'est elle que je choisirais. Mais vous n'avez pas à vous inquiéter à ce sujet, car Trudy n'a pas l'intention, elle non plus, de se marier.

Son père fronça les sourcils et secoua la tête.

— C'est peut-être ce qu'elle prétend, mais je l'ai observée elle aussi. Et à la façon dont elle te regarde, je peux te dire qu'elle songe déjà à sa robe de mariée, mon fils.

Linc savait que ce n'était pas à une robe de mariée que Trudy songeait. Elle le regardait peut-être avec impatience, mais elle pensait certainement plus à un uniforme de femme de chambre ou à du sirop de chocolat qu'à de la dentelle blanche ou un contrat de mariage.

— Je refuse de continuer cette discussion. Voici Trudy qui revient et nous allons vous dire bonsoir.

Trudy fut étonnée de le trouver debout à côté de la table.

— Que se passe-t-il ?

— J'ai besoin de prendre l'air. Nous partons.

Elle regarda tour à tour son père et sa mère.

— Je suppose que vous vous êtes disputés en mon absence. Etait-ce à cause de moi ?

Linc lui prit le bras.

— Allons-y, Trudy. Inutile de discuter. Partons.

Elle retira son bras.

— Non. Je veux savoir quel est le problème.

— Non, ce n'est pas la peine.

Il essaya de nouveau de l'entraîner avec lui. Aucune raison de prolonger l'entretien avec ses parents et leurs préjugés.

— Glenda, demanda Trudy. Pour quelle raison Linc veut-il s'en aller ?

Glenda toussota et s'éclaircit la voix.

— Ma chère, le père de Linc et moi nous nous faisons du souci à cause de votre différence de milieu. Vous n'êtes pas du même monde et cela pourrait devenir délicat si vous décidiez de vous engager l'un envers l'autre.

Trudy serra les dents, mais parvint à garder un visage impassible.

— Qu'est-ce qui vous fait penser que nous voudrions nous engager dans une relation sérieuse ?

— Ce n'est pas ça le problème, Trudy. Mes parents te prennent pour une coureuse de dot.

A son grand étonnement, Trudy se mit à rire.

— Moi, en vouloir à ton argent ? Vraiment ?

— Linc, dit sa mère. Tu sais très bien que ce n'est pas ce que nous voulions dire.

— Mais si. C'est exactement ce que vous vouliez dire. Viens Trudy.

— Attends une seconde. C'est vraiment stupéfiant. Je n'en crois pas mes oreilles.

Elle se planta face à ses parents.

— Laissez-moi vous dire une chose. Je me fiche de son argent.

Son père se pencha vers elle.

— Ecoutez, nous ne disons pas…

— Tout ce que je veux de votre fils…, c'est du sexe. De bonnes parties de jambes en l'air et c'est exactement ce qu'il me donne. Et c'est d'ailleurs pour cela que nous devons partir. Pour aller au lit. Au revoir et à la prochaine.

Linc resta planté là, sous le choc de ce qu'elle venait de dire. Elle s'éloigna puis l'appela. Linc garda en tête l'expression scandalisée de ses parents. C'était bien la première fois qu'il les voyait réagir de façon identique à une situation.

Puis il tourna les talons et rejoignit Trudy.

16.

Les miroirs étaient une idée fantastique. Trudy avait disposé des lampes de chaque côté du lit, ainsi avaient-ils assez de lumière pour les apprécier. Et ils les appréciaient vraiment.

Elle adorait sentir Linc en elle et pouvoir contempler la scène en même temps. Elle avait insisté pour qu'il soit le premier à bénéficier de sa dernière trouvaille. Il s'était allongé sur le dos et avait profité du spectacle alors qu'elle était assise sur lui. Elle allait et venait sur son sexe dressé tout en se caressant les seins. Il était de plus en plus excité à la regarder ainsi et ils avaient changé de position. Pas étonnant qu'il ait été si proche de l'orgasme aussi rapidement. Les miroirs lui faisaient un effet terrible à elle aussi et elle n'allait pas tarder à jouir.

— Tu aimes, lui murmura-t-il à l'oreille.

— Tu ne peux pas savoir…

— Oh, si. J'adore l'idée des miroirs. J'aime quand tu regardes.

— Linc, je vais…

— Je sais.

Il s'activa en elle, faisant trembler le lit.

— Moi aussi.

— Oh Linc, Linc…

Etait-ce la tension de la soirée qui se relâchait ou l'effet des miroirs ? L'orgasme était déjà là, tout proche.

Il murmurait.

— Oh oui. Comme ça. Oui. Ouvre-toi pour moi. Voilà. Oui, Trudy, vas-y, jouis !

Son orgasme fut foudroyant. Elle haletait et gémissait en même temps. Elle l'entendit lui chuchoter à l'oreille.

— Moi aussi je viens. Oui. Oooh. *Trudy !*…

Il s'écroula sur elle, gémissant toujours.

Encore sous l'effet de délicieuses sensations, Trudy entrouvrit les yeux pour l'observer en pleine extase.

Heureusement.

Car au même instant, un des miroirs vacilla et se décrocha du baldaquin. Trudy n'eut que le temps de le maintenir du pied avant qu'il ne se fracasse sur eux.

— Que se passe-t-il ? demanda Linc, sentant Trudy s'agiter au-dessus de lui.

— Un des miroirs est en train de nous tomber dessus…

Il se mit à rire, sans pouvoir se retenir. C'était toujours la même chose. Jusqu'à présent, chaque fois qu'une de ses mises en scène échouait, elle en était vexée alors que lui en riait. Elle commençait à se rendre compte qu'il appréciait autant le pittoresque de certaines situations que leur côté sensuel. Si bien qu'elle prenait mieux les choses désormais, lorsqu'un petit imprévu survenait.

— Tu sais, pour une femme : voir un homme qui rit alors qu'il est encore en elle, c'est vraiment la pire des situations.

— Tu ferais bien de t'y habituer. J'ai l'impression que cela ne sera pas la dernière fois.

— C'était pourtant presque parfait. Mais tu as bien trop secoué le lit.

Il sourit.

— Tu veux porter plainte ?

— Non, je ne crois pas.

Il soupira.

— J'espère que ta voisine du dessous ne nous a pas entendus. Ce qu'il nous faudrait, c'est une chambre insonorisée ou bien une maison au milieu de nulle part.

Elle le regarda. Se rendait-il compte de ce qu'il était en train de dire ? Il parlait comme s'ils avaient besoin tous les deux d'un petit nid d'amour. C'était curieux de voir à quel point il s'impliquait dans leur relation alors qu'il tenait tellement à son indépendance.

Elle, elle ne voulait pas s'engager. Absolument pas. Elle devait rester vigilante et ne pas l'amener à croire qu'elle avait changé d'avis sur un éventuel engagement. Elle ne pouvait pas se permettre une chose pareille. Elle venait juste d'arriver à New York, bon sang. Et elle tenait à être libre.

Elle se déplaça légèrement.

— Il faut que je bouge mon pied.

— Quoi ? Ah oui.

Il s'écarta d'elle.

— Bon, je vais t'aider à remettre le miroir en place. Mais posons-le là pour l'instant. Je dois aller à la salle de bains.

Il descendit du lit et se retourna pour la regarder.

— Ne disparais pas cette fois, d'accord ?

Elle croisa son regard. Ils n'avaient pas pris le temps de discuter de la scène qui les avait opposés à ses parents. Ils brûlaient d'envie l'un de l'autre. Dès que Linc avait vu les miroirs, il avait arraché ses vêtements. Mais il voudrait certainement discuter de la soirée. c'était tout à fait normal. Même si elle n'en avait pas envie, elle devrait peut-être lui présenter des excuses pour son discours. Bon, elle le ferait.

Et ce soir, elle ne disparaîtrait pas de sa vue. Juste pour cette fois.

— D'accord, je reste là.

— Parfait.

Il se dirigea vers la salle de bains.

Lorsqu'il revint, elle était toujours là, nue sur le lit, les bras par-dessus la tête, essayant de raccrocher ce fichu miroir.

Il s'approcha du lit.

— Tu as besoin d'aide ?

Elle faillit refuser, mais se rappela la lueur dans ses yeux lorsqu'il hélait le taxi.

— Oui, s'il te plaît.

Il grimpa sur le lit avec elle et, par sécurité, ils vérifièrent tous les miroirs. Bien sûr, l'inévitable se produisit. Ils se retrouvèrent en peu de temps de nouveau enlacés entre les draps.

Un autre orgasme pour chacun, un autre voyage à la salle de bains pour Linc et enfin, ils se retrouvèrent dans les bras l'un de l'autre pour un petit câlin. Trudy avait la tête posée sur sa poitrine et écoutait battre son cœur pendant qu'il passait tendrement ses doigts dans ses cheveux. C'était agréable. Peut-être un petit peu trop.

Il était hors de question qu'elle se lie à cet homme, mais ils devaient parler de l'épisode du restaurant. Ensuite elle le renverrait chez lui avant qu'ils ne fassent la bêtise de passer la nuit ensemble.

— On ne l'avait jamais fait deux fois dans la même soirée.

— Non, c'est vrai.

Ils discutaient de ce qu'ils avaient ressenti. Oui, elle aussi avait apprécié cette seconde fois. Mais s'ils continuaient à discuter de sexe ainsi, il pourrait bien y avoir un troisième round, se dit-elle. Et ça, ça serait vraiment une mauvaise idée. Ses barrières étaient en train de tomber les unes après les autres et c'était plutôt mauvais signe.

Elle décida que c'était à elle d'amener le sujet sur le tapis, avant qu'ils ne finissent dans une autre position horizontale.

— Linc, je sais que j'ai fâché tes parents ce soir et j'espère que cela ne te posera pas de problèmes. La prochaine fois que tu leur parleras, n'hésite pas à leur dire tout ce que tu veux sur mon compte. Que j'avais pris des amphétamines par exemple, ou ce qui te passera par la tête.

Il s'approcha plus près d'elle.

178

— S'ils veulent me parler, ce sera à eux d'en prendre l'initiative. Et c'est moi qui devrais te présenter des excuses pour leur comportement. Alors, je te demande pardon, pour t'avoir entraînée dans cette galère.

— Pas de problèmes. Leur accusation était tellement absurde que je l'ai déjà oubliée. Et la seconde partie de soirée a largement compensé la première.

Il caressait ses cheveux en silence.

— Si j'écoutais mes parents, reprit-il, je serais marié à quelqu'un de leur milieu et ce serait un mariage de raison, comme au Moyen Age. Et je suis sûr que ma femme et moi finirions par vivre chacun de notre côté, comme c'est le cas pour eux.

— Tu n'as pas à te conformer à leurs souhaits. Surtout en ce qui concerne ta vie privée. Nous ne sommes plus au Moyen Age.

— Tu as raison. Mais, même si je suis mes propres envies, ma femme et moi aurons une vie privilégiée. De même que nos enfants. J'ai vu de quelle façon l'argent isole les gens les uns des autres et je refuse de faire vivre un enfant dans la même solitude que celle où j'ai grandi. Pour un homme comme moi, le mariage est un terrain miné. Si tu avais eu la même enfance que moi, tu comprendrais pourquoi je rejette toute idée de vie maritale et familiale.

Elle se redressa sur un coude et le regarda.

— Et moi, je voudrais t'y voir si tu avais dû vivre dans une petite maison avec tes parents qui sont déterminés à avoir autant d'enfants que possible.

— J'aurais préféré ça plutôt que vivre seul dans une villa de vingt-cinq pièces.

— Tu ne sais pas de quoi tu parles. Mes parents n'ont jamais eu le temps de s'amuser dans leur vie. Je suis née la première année de leur mariage. Ensuite il y a eu une pause dans les naissances parce que mon père travaillait comme voyageur de commerce. Dès qu'ils ont eu assez d'argent, ils ont acheté la ferme et il est resté à la maison.

Et les bébés ont commencé à naître les uns après les autres. Deux, trois, cinq, six...

Son regard était indéchiffrable.

— Au moins, tu n'étais pas toute seule.

— Mais j'aurais donné *n'importe quoi* pour être seule. Ce petit appartement ici est un véritable paradis pour moi. Et il va se passer des années avant que je n'envisage seulement de me marier. Cela t'engage à trop de choses.

— Cela n'a pas engagé mes parents à grand-chose, comme tu peux le constater. Ils avaient suffisamment d'argent pour engager des nurses et des tuteurs pour mon éducation. Ils n'avaient pas besoin de s'occuper de moi, ni même de passer du temps ensemble. Je crois que trop d'argent tue l'amour.

— Et trop peu te gâte la vie. Je suis désolée, mais tu ne peux pas te rendre compte. Tu es trop loin de tout cela. Tu devrais aller à Virtue et essayer de rester chez mes parents quelque temps. Tu verrais un peu. Tu deviendrais fou.

Cela lui faisait du bien de parler de tout cela avec lui, se dit-elle. Se retrouver dans ses bras et faire un câlin lui faisaient à peu près tout oublier, mais parler de la vie à Virtue la ramenait droit sur ses objectifs.

— Je ne deviendrais pas fou, protesta-t-il.

— Oh que si. Tu dis ça maintenant, mais c'est parce que tu sais que tu n'auras jamais à supporter la vie là-bas.

Il attrapa un oreiller et se le cala dans le dos.

— Hé, attends une minute. Qu'est-ce que tu crois ? Que je ne suis qu'un rat des villes qui ne supporterait pas de passer quelque temps dans un coin perdu ?

— Tu sais ce que je crois ? Tu t'enfuirais de Virtue à toute vitesse, si jamais tu devais y passer plus de quelques heures.

— Certainement pas.

— Si absolument.

Il soutint son regard un long moment.

— Qu'est-ce que tu fais ce week-end ?

Elle pâlit.

— Je… je ne sais pas. Il faut que j'installe des étagères et…

— Rien d'urgent, n'est-ce pas ?

— Non, pas vraiment.

— Alors, allons à Virtue.

Elle sourit, pensant qu'il plaisantait.

— Je suis sérieux.

— On ne peut pas décider ça sur un coup de tête.

— Et pourquoi pas ? C'est à cela que sert l'argent. De toute façon, je n'aurais que les billets d'avion à payer. Nous séjournerons chez tes parents et je pourrais ainsi te prouver que je suis tout à fait capable de survivre dans un coin comme là-bas.

Elle était stupéfaite par sa proposition.

— Je continue à croire que tu te moques de moi.

— Pas du tout.

Il commença à la caresser et elle réagit à sa caresse. C'était bien là le problème lorsqu'on s'attardait pour un petit moment de tendresse après une partie de jambes en l'air. Cela amenait d'autres caresses, d'autres envies… et des complications.

— Alors, nous allons à Virtue ?

— Tu es fou.

— Oui, je le suis. Allez, Trudy. Tu prétends toujours être quelqu'un de spontané. Prouve-le.

Pourquoi pas après tout. Linc avait l'air bien sûr de lui. Ça lui remettrait peut-être les idées en place.

— Je te prends au mot.

— Super.

Il glissa entre ses cuisses, embrassa son point le plus sensible et pour la troisième fois de la soirée lui fit tout oublier.

17.

Il y avait deux choses de son arrivée à Virtue que Linc n'oublierait jamais. La ferme, couverte de neige dont les terres semblaient s'étendre à l'infini et les larmes de Sarah Baxter lorsqu'elle sortit de la maison, courant dans la neige, manteau ouvert et bras tendus, à la rencontre de sa fille.

Un labrador noir, ankylosé par le poids des années, la suivait en remuant la queue.

Cela ne faisait que deux semaines que Trudy avait quitté la maison, mais sa mère l'étreignit comme si son absence avait duré un an. L'étreinte de la fille n'était pas moins forte que celle de la mère, nota-t-il. Puis Trudy se pencha et passa ses bras autour du cou du chien. Il lui lécha la main et elle enfouit son visage dans sa toison.

Quoi qu'en dise Trudy, sa famille lui avait manqué.

Sarah s'essuya les yeux en voyant sa fille caresser leur chien. Puis elle regarda Linc.

— Je vous prie de m'excuser. Elle n'avait encore jamais quitté la maison. Je n'avais pas réalisé à quel point elle allait me manquer. Même Prince en avait de la peine.

— Je comprends, dit Linc, bien que toute cette émotion pour un simple retour à la maison soit une chose tout à fait étrange pour lui. Jamais ses parents n'auraient réagi ainsi.

Lorsque Trudy se releva et se tourna vers lui, ses yeux étaient un peu humides eux aussi.

182

— Linc, je te présente ma mère, Sarah, et notre chien, Prince. Maman, voici Linc Faulkner.

— Ravi de vous rencontrer.

A sa surprise, elle lui prit la main et la tint serrée entre les siennes. Son sourire était chaleureux.

— L'ami de Tom. Je suis désolée que vous n'ayez pas pu être là pour le mariage.

— Moi aussi.

Lorsque Sarah relâcha sa main, il réalisa que Prince était en train de renifler son manteau.

— Salut, Prince.

Il se pencha en avant et caressa Prince derrière les oreilles, ce que l'animal sembla apprécier.

— Mais vous êtes tout excusé d'avoir raté ce mariage, vu que vous nous ramenez Trudy à la maison pour le week-end.

Je n'arrive pas à croire que tu aies pu obtenir ton vendredi libre alors que tu viens juste de commencer à travailler, dit-elle à sa fille.

— C'est en grande partie grâce à Meg, répondit Trudy. Elle a promis à son patron qu'il serait un des premiers à tenir son futur enfant dans ses bras, mais je crois qu'elle a un peu exagéré.

Sa mère se mit à rire.

— Ce sera déjà un miracle que Meg laisse quelqu'un tenir son bébé dans ses bras. Elle aurait trop peur qu'on lui vole. Allez, entrons dans la maison.

Linc donna une dernière caresse à Prince et se redressa. Il appréciait Sarah Baxter. Une femme comme elle avec six enfants vivant encore à la maison n'avait pas de temps à perdre en maquillage ou en coiffure, mais il aimait sa simplicité. Ses cheveux qu'elle avait tirés en queue-de-cheval étaient striés de gris et de charmantes rides d'expression ornaient les coins de sa bouche et de ses yeux. Elle portait un jean et un sweat-shirt.

Si le fait d'être mariée et d'avoir tous ces enfants avait brisé quoi que ce soit en elle, on ne pouvait s'en rendre compte. Ses yeux étaient aussi brillants et impatients que ceux de sa fille. Maintenant il savait de qui Trudy tenait cet enthousiasme à toute épreuve.

— Je suis seule à la maison pour l'instant, annonça Sarah en passant un bras autour de la taille de Trudy tandis qu'ils pénétraient dans la maison. Ton père a emmené Sue Ellen s'acheter une nouvelle paire d'après-ski. Sue est certaine que tu joueras avec elle dans la neige durant ces deux jours.

— Quelle bonne idée !

— Nous le ferons tous les deux, dit Linc.

C'était un parfait exemple de ce qu'il avait raté durant son enfance. Emmener quelqu'un et l'aider à faire un bonhomme de neige était une promesse d'importance. Lorsque Belinda était arrivée chez eux, elle avait accepté de l'aider et c'est à ce moment-là qu'il avait dû s'enticher d'elle. Mais ils n'avaient joué ainsi qu'une seule fois. Par la suite elle avait été trop occupée. Tout le monde avait toujours été trop occupé.

Sarah les installa dans un petit salon douillet. Un feu brûlait dans la cheminée en brique. La maison embaumait d'une délicieuse odeur de cuisine. Il en eut l'eau à la bouche.

— Linc, je vous ai installé avec Kenny et Josh, dit Sarah. Trudy, tu seras dans ton ancienne chambre avec Linda, Marcie et Deena. Allons mettre vos bagages dans vos chambres et ensuite nous prendrons une tasse de café.

Ils traversèrent un vestibule dont les murs étaient couverts de photos de famille.

— N'as-tu pas installé Sue Ellen avec les filles après mon départ, demanda Trudy.

— Si. Mais elle peut très bien dormir dans notre chambre pendant que vous êtes là. Nous sommes tous tellement contents de vous avoir à la maison que je pense que ton père irait même dormir dans l'étable si nous avions besoin d'une chambre en plus.

Encore une chose qui lui avait manqué, se dit Linc. Tant d'amour, que les parents mettaient leur propre bien-être de côté et donnaient la priorité à leurs enfants. Il réalisa que Trudy avait fait des sacrifices, elle aussi. Elle avait mis ses rêves de côté quelque temps pour aider sa mère avec son septième enfant. Comment aurait-elle pu faire autrement ? Les murs du couloir étaient couverts de photos où chacun souriait, riait. Comment résister à tous ces visages débordants d'amour et d'affection ?

Il comprenait cependant qu'elle ait eu besoin de s'échapper afin de se forger sa propre identité. Personne ne pouvait partager indéfiniment sa chambre avec trois sœurs et avaler *ad vitam æternam* les petits plats cuisinés par sa propre mère, aussi savoureux soient-ils. Mais cette petite ferme était l'endroit idéal pour venir se ressourcer dans des bras chaleureux. Il l'enviait tellement que cela lui était douloureux.

Où allait-il dormir ? Dans le lit de Kenny, tandis que Josh, douze ans, dormirait dans le lit superposé, annonça Sarah. Kenny s'installerait dans un sac de couchage sur le sol pour les deux nuits à venir.

Linc regarda autour de lui et découvrit des murs couverts de posters d'athlètes et des étagères croulant sous les livres, des modèles réduits et des maquettes d'avion, de voiture et de bateau. Exactement la chambre dont il avait rêvé, adolescent. La sienne avait été dessinée par un architecte d'intérieur et il ne s'y était jamais senti à l'aise.

— Vous serez peut-être un peu à l'étroit dans ce lit, dit Sarah. Même Kenny commence à s'en plaindre et il n'est pas aussi grand que vous. Mais je ne savais pas…

— Ce sera parfait, madame Baxter.

— Oh, appelez-moi Sarah.

Il eut le sentiment qu'on lui accordait un privilège.

— Merci de me recevoir aussi gentiment alors que nous vous avons prévenu au dernier moment, Sarah.

Elle rougit sous le compliment.

— Comme je le disais tout à l'heure, nous sommes vraiment ravis de vous avoir à la maison tous les deux. Cela ne pose aucun problème.

Elle lui indiqua le couloir.

— La salle de bains la plus proche se trouve de ce côté. Nous n'en avons que deux pour nous tous, alors c'est un peu premier arrivé, premier servi. Stan, mon mari, a même envisagé d'installer un distributeur de tickets comme à la poste.

Trudy regarda Linc pour voir comment il réagissait.

— La meilleure stratégie est de se lever le premier, dit-elle. Mais c'est plutôt difficile parce que les garçons vont aider papa à l'étable dès 5 h 30. Et Sue Ellen est aussi une lève-tôt.

Linc lui sourit.

— Peut-être que je pourrais gagner mon tour en jouant aux cartes avec Kenny et Josh.

— Oh, les garçons adoreraient jouer aux cartes avec vous. Ils sont tellement excités de rencontrer un homme qui est déjà allé voir un match au Madison Square Garden. J'espère que vous connaissez les derniers résultats des Knicks.

— Oui, je les connais.

Linc soutint le regard de Trudy lui faisant comprendre qu'il se sentait parfaitement à l'aise dans son monde.

Elle fit la moue et lui lança un message silencieux. *Attends un peu…*

Il avait envie d'embrasser ses lèvres pulpeuses. En fait, mis à part le jour de leur première rencontre, c'était la première fois qu'ils passaient autant de temps ensemble sans se retrouver dans un lit. Il sentait le désir entre eux, prêt à bondir à la moindre occasion. Mais dans cette maison, installé chacun dans une chambre différente avec toute la famille sous le même toit, il n'y aurait pas beaucoup d'opportunités. Tom l'avait bien prévenu.

— Je vous laisse vous installer, maintenant, dit Sarah. Venez nous rejoindre dans le salon lorsque vous aurez terminé et je vous ferai faire le tour du propriétaire.

— Super.

Les deux femmes continuèrent leur chemin jusqu'à la chambre des filles, suivies par Prince. Linc les entendit toutes deux bavarder avec animation.

Il songea à ce dîner annuel avec ses parents. Une année entière passait avant qu'ils ne se réunissent de nouveau, mais ils ne semblaient jamais avoir quoi que ce soit à se dire. Ils se contentaient de prendre des nouvelles l'un de l'autre pendant cinq minutes, puis la conversation s'orientait sur la politique ou l'économie.

Le soir où il avait emmené Trudy avec lui, ses parents avaient semblé tout à coup avoir plein de choses à se dire. Elle avait eu une excellente influence sur leur rencontre jusqu'à ce que sa mère décide qu'elle n'était qu'une femme intéressée. Il bouillait encore à ce souvenir.

Quant à ce voyage jusqu'ici, il ne savait toujours pas ce qui lui avait pris de le suggérer. Elle s'était glissée facilement dans son monde à lui et avait même tenu bon face à ses parents. Mais elle était tellement certaine qu'il ne survivrait pas un instant dans son Kansas sauvage qu'il voulait peut-être uniquement lui prouver qu'elle avait tort.

Cependant il savait qu'il y avait autre chose. Tandis qu'il rangeait sa valise dans un coin de la chambre et posait son manteau sur le lit, il admit qu'il était venu ici avec l'intention d'apprendre à mieux la connaître.

Il souhaitait tellement découvrir toutes les facettes de sa personnalité. Tom avait raison. Il était en train de s'attacher à une femme pour la première fois de sa vie. Et cela l'effrayait.

Linc la surprenait. Trudy n'aurait pas imaginé qu'il se sente aussi à son aise dans la petite maison de ses parents, encombrée de meubles fatigués et de l'inévitable désordre causé par huit personnes vivant sous le même toit.

Oh, pas de doute. Il était l'attraction principale du dîner. Tout le monde, Sue Ellen mise à part, le bombardait de questions à propos de New York. Elle, ils l'avaient complètement oubliée, supposant qu'elle ne vivait pas là-bas depuis assez longtemps pour satisfaire leur curiosité. Linc était comme un poisson dans l'eau au milieu de toute cette tablée. Il n'avait pas l'air de remarquer les assiettes dépareillées ni les serviettes en papier. Et il avait dévoré le rôti de sa mère ainsi que la tarte aux pommes.

Comme Linc était le centre de la conversation, elle en profita pour regarder autour d'elle et s'aperçut avec surprise que sa famille avait vraiment un air sympathique. Elle n'y avait jamais fait attention auparavant. A quatorze ans, Deena était en train de devenir une vraie beauté et les deux plus jeunes avaient l'air de vouloir se transformer elles aussi en briseuses de cœurs. D'après sa mère, Kenny avait une nouvelle petite amie et Josh, à seulement douze ans, commençait déjà à recevoir des coups de fil de collégiennes. Sa mère lui avait toujours semblé ravissante et son père portait bien ses cinquante ans. Il avait toujours les épaules larges et solides et ses cheveux grisonnants lui donnaient encore plus de charme. Linc non plus ne manquerait pas de charme en vieillissant. Bien sûr, elle ne serait pas là pour le voir.

Tout à coup, elle se sentit troublée. Le fait de se retrouver en famille était censé lui faire apprécier encore plus sa vie de célibataire. Pas lui donner des envies de créer sa propre famille. Elle espéra qu'elle ne s'était pas trompée en acceptant de venir ici avec Linc.

Après le dîner, Linda, âgée de dix ans, et qui adorait les jeux de société s'éclipsa et revint avec leur vieil échiquier.

— Faisons une partie, proposa-t-elle, les yeux brillant d'excitation.

— La vaisselle, d'abord, dit Linc.

La mère de Trudy le regarda avec un grand sourire, mais insista pour s'occuper de la vaisselle tandis qu'il jouerait avec la tribu.

— Pas question, répondit-il. Vous vous êtes occupée du repas. Les enfants et moi allons débarrasser la table. Qui veut m'aider ?

Tous se précipitèrent, bien évidemment. Et tandis que Trudy le regardait, bouche bée, il conduisit la petite troupe dans la cuisine, chacun emportant avec lui assiettes, verres et couverts.

— Oh, je l'adore, dit Sarah à Trudy.

— Il est très sympa, ajouta son père.

Il but une autre gorgée de café et sourit à sa fille.

— Je ne pensais pas que tu rencontrerais quelqu'un aussi vite…

Trudy s'empressa de lui répondre.

— Nous sommes juste amis, dit-elle. Linc a tellement entendu parler de Virtue par Meg, Tom et moi, et il ne faisait rien ce week-end, alors il a proposé…

— C'est plus qu'un ami pour toi, dit sa mère gentiment. Il n'est pas venu ici pour découvrir la ville. Il est venu pour nous rencontrer.

Trudy essayait de trouver un moyen de se sortir de cette conversation. Bien sûr sa mère avait tort, mais comment lui expliquer qu'ils étaient venus jusqu'ici afin que Linc se rende compte du manque de liberté qu'elle avait laissé derrière elle en partant pour New York. Le pire, c'est qu'il n'avait pas l'air de voir les choses comme elle. Il semblait passer un bon moment chez eux.

— Non, je vous assure, reprit-elle. Nous sommes simplement amis. Pour être honnête, Linc était désolé pour moi. Il se rendait bien compte que j'avais le mal du pays. Il a voulu me faire plaisir en m'amenant ici.

Sa mère sourit. Elle ne semblait pas en croire un mot.

— Tu sais, tu n'es pas obligée de nous dire quoi que ce soit si tu ne te sens pas prête.

— C'est vrai, dit son père. Ça ne nous regarde pas. Mais je ne vois pas pourquoi ton ami aurait fait le voyage jusqu'ici s'il n'avait pas une idée derrière la tête.

— Maman, appela Marcie, la petite de huit ans. Nous avons besoin d'autres torchons pour la vaisselle.

Trudy bondit.

— Ne bouge pas. Je vais les leur donner.

Elle bondit jusqu'au placard, trop heureuse d'échapper à la conversation avec ses parents. Attrapant une pile de torchons fraîchement repassés elle se précipita dans la cuisine. Elle n'en crut pas ses yeux. Devant l'évier, son super banquier de Wall Street, les bras enfoncés jusqu'aux coudes dans la mousse du produit à vaisselle. Juste à son côté, debout sur une chaise et lui passant les assiettes se tenait la petite Sue.

Kenny dirigeait l'équipe qui essuyait et Deena s'occupait de ranger le tout dans les placards.

— Plus tôt nous aurons terminé et plus tôt nous pourrons jouer aux échecs, lança Linc par-dessus tout le vacarme.

Trudy était tellement estomaquée de le voir faire la vaisselle dans cette petite cuisine qu'elle avait à peine réalisé que Marcie lui avait pris les torchons des mains et en avait déjà donné un à Linda.

— Attention à ne rien casser, les prévint Kenny.

— Il a raison, dit Linc. Sinon il faudra tout nettoyer et chacun de vous devra faire des économies pour remplacer ce qui aura été brisé.

— Moi, j'ai une tirelire, annonça Sue Ellen.

Linc approuva.

— C'est bien. Quand tu auras suffisamment d'économies, je t'aiderai à les placer.

Sa réponse entraîna tout un brouhaha comme si chacun des frères et sœurs cherchait à l'impressionner avec le montant de ses économies.

Secouant la tête, Trudy sortit de la cuisine.

Plus la soirée passait et plus Linc se sentait impliqué dans le clan familial. Outre les parties d'échecs, il fut submergé par les cartes de Pokemon et même par les poupées Barbie tellement chacun était impatient de lui montrer ses trésors.

Un peu plus tard, la mère de Trudy essaya vainement d'envoyer tout ce petit monde au lit, mais chacun refusait d'aller se coucher.

— Vous savez quoi, les enfants, dit Linc. Trudy et moi devons sortir de toute façon. Je veux qu'elle m'emmène faire un tour en ville.

— Tout est fermé, annonça Kenny. Sauf le cinéma mais il va fermer d'ici peu. Le film de la soirée est presque terminé.

— Je sais, répondit Linc. Mais c'est la première fois que je viens ici, alors j'ai envie d'aller faire un tour et voir à quoi ressemble Virtue. On continuera tout cela demain soir, d'accord ?

Deena regarda Linc avec toute l'adoration dont une adolescente de quatorze ans était capable.

— J'ai vu la voiture que tu as louée. Elle est super.

— Si vous voulez, demain j'emmènerai certains d'entre vous faire un tour.

— Nous voulons *tous* venir, mais nous ne rentrerons pas tous dans la voiture. C'est pour cela que papa et maman ont acheté un van, annonça Linda.

— Nous pourrions organiser des tours, proposa Marcie. N'est-ce pas, Linc ?

— Tout à fait.

Il regarda Trudy.

— Tu es prête ?

— Je vais chercher nos manteaux.

Oh oui, elle était prête. Elle devait avoir une petite discussion avec cet homme qui était supposé n'être qu'une aventure pour elle. Sa façon de se glisser si facilement dans sa vie familiale lui donnait des idées auxquelles elle ne voulait pas songer. Pas avant des années.

Le fait qu'il se sente aussi à l'aise au milieu des siens comme s'il avait toujours vécu ici n'était pas du tout prévu au programme. Le voir aussi charmant avec tous ses frères et sœurs ainsi qu'avec ses parents la rendait sentimentale. Même Prince l'aimait bien. Il fallait qu'il arrête ça tout de suite.

Il leur fut difficile de réussir à passer la porte de la maison. Chacun des enfants voulait poser une dernière question à Linc. Enfin, la porte se referma, et ils se dirigèrent vers la voiture. Une fois à l'intérieur, elle lui indiqua la direction de la rue principale.

Puis elle se tourna vers lui.

— Tout le monde va finir par croire que tu as grandi juste dans la rue d'à côté. Comment se fait-il que tu sois aussi à l'aise au milieu de toute notre marmaille ?

Il lui sourit.

— Ça se voit tant que ça ?

— On dirait bien. Mes parents sont complètement sous le charme et les enfants pensent que tu es capable de leur décrocher la lune. Quant à moi, je reste là à te regarder et à me demander qui tu es, et surtout où diable a disparu celui que je croyais connaître, Linc Carlyle Faulkner, quatrième du nom.

Il se mit à rire.

— Tout ceci est très facile à expliquer. Lorsque j'étais enfant, sans véritable famille autour de moi, je regardais la télévision pour y trouver ce qui me manquait. Je regardais toutes les séries familiales. Je les connais par cœur.

— C'est pour cela que tu voulais venir ici ? Pour plonger pendant quelques heures en plein cœur d'une vie de famille ?

Son regard flotta un instant, puis il reporta son attention sur la route enneigée.

— C'est possible. Je me suis demandé pourquoi j'avais voulu venir ici et c'est effectivement une bonne raison. Mais je ne crois pas que cela soit la seule.

Elle se dit qu'elle ne voulait surtout pas connaître l'autre raison.

— Et où as-tu appris à laver la vaisselle, demanda-t-elle rapidement.

— Les enfants m'ont dit comment faire.

— Pas la peine de demander pourquoi ils t'adorent tous. D'abord tu les épates en leur parlant d'une ville qu'ils ne connaissent pas, et ensuite tu les laisses t'enseigner des choses qu'ils connaissent et pas toi.

Elle poussa un soupir et se cala contre l'appui-tête.

— Je pensais que tu serais consterné par cette visite.

— Cela prouve que tu ne me connais pas encore très bien.

Elle tourna la tête pour le regarder.

— Je crois, en effet.

Et il commençait sérieusement à l'inquiéter. Peut-être que la vue de la ville déjà déserte à cette heure-ci détruirait enfin la vision romantique qu'il avait de la vie à la campagne.

— Tourne à droite à la prochaine.

— D'accord.

— Tout est désert. C'est vraiment déprimant.

— Si tu le dis…

— Absolument, reprit-elle sachant qu'elle avait l'air un peu grincheuse.

Mais pourquoi était-il toujours aussi charmant ? Elle avait envie de l'embrasser… et tout le reste. Ce n'était pourtant pas le moment de lui tomber dans les bras alors que ses émotions étaient plus que confuses et qu'elle commençait à penser qu'il ferait un mari fantastique.

C'était bien là le problème, en un mot. Même le fait de se trouver avec lui en voiture l'excitait. Et ce voyage à Virtue avec lui pourrait bien être la plus grande erreur de sa vie.

— N'as-tu pas l'intention de jouer au guide et de me faire découvrir Virtue ?

— Oh bien sûr. Voici la banque et ici l'épicerie. Là c'est la station-service, puis le cinéma, qui n'a qu'une seule salle et là-bas, lui aussi déjà fermé à cette heure-ci, le bar et juste à côté le drugstore. Comme tu peux le voir, il n'y a personne dehors. Il n'y a que notre voiture dans la rue.

Elle lui jeta un coup d'œil.

— Tu veux savoir autre chose ?

— Oui. Où est la route abandonnée la plus proche ?

18.

Linc n'était pas habitué à passer autant de temps avec Trudy sans se retrouver peau contre peau à brève échéance. Tom l'avait prévenu qu'ils n'auraient qu'une option possible s'ils voulaient avoir un peu d'intimité. C'est pour cette raison qu'il avait loué une confortable berline plutôt qu'une voiture de sport. Mais il n'était pas sûr que Trudy apprécierait. Après tout, elle s'était promis de ne plus jamais se contorsionner sur une banquette arrière.

Elle le regarda.

— Je ne peux pas croire que tu veuilles faire cela dans la voiture.

— Fais-moi plaisir. C'est la première fois pour moi.

— Alors dans ce cas… Mais il faut que tu laisses tourner le moteur pour que nous puissions garder le chauffage. Tu as assez d'essence ?

Elle vérifia la jauge.

— Ça ira. J'ai fait le plein à la station en venant de l'aéroport.

— Je me demandais pourquoi tu tenais à prendre autant d'essence. Je pensais que tu avais peur de tomber en panne en rase campagne. Tu avais déjà tout prévu ?

— Pas du tout. Ce que je voulais c'était *me retrouver allongé avec toi* en pleine campagne.

Sa remarque eut l'air de lui plaire et elle se mit à rire.

— Eh bien, je me dois alors de rompre cette fameuse promesse. Et tu as de la chance, parce que les chemins ont été récemment labourés donc nous ne risquons pas de nous embourber. Et les gendarmes ne seront certainement pas de sortie ce soir avec la température qui avoisine zéro degré.

— Tu vois, tout a été préparé pour nous.

Elle lui sourit.

— Tourne à droite à la prochaine.

— Tu es d'accord, alors ?

Il sentit aussitôt son sexe durcir.

— Oui. Mais tu vas voir, ça t'amusera peut-être moins que laver la vaisselle.

— J'en doute.

Selon ses indications, il tourna sur la droite et continua le long d'une clôture de barbelés qui semblait s'étendre à l'infini dans l'obscurité.

— Jusqu'où allons-nous ?

Elle lui fit un petit sourire qui lui donna aussitôt l'envie de lui arracher tous ses vêtements.

— Continue, continue. Jusqu'à ce que tu n'en puisses plus et que tu demandes grâce.

— Hé, ce n'est pas sympa. Je dois garder mes mains sur le volant.

— Oui, mais pas moi…

Elle commença à remuer sur son siège.

— Qu'est-ce que tu fais ?

— J'enlève ma veste et mes bottes. Elle les laissa tomber par terre. Puis continua à se tortiller sur le siège. Ainsi que mon pantalon et mon slip.

Il tourna la tête, essayant de regarder ce qu'elle faisait.

— Garde tes yeux sur la route, cow-boy. Et sers-toi de ton imagination. Mmm. Les sièges en cuir sont vraiment agréables. Je n'avais jamais senti de cuir contre ma peau nue auparavant.

Il soupira et agrippa ses mains sur le volant. Il aurait dû songer qu'une effrontée comme elle saisirait cette opportunité de l'exciter.

Se tournant sur son siège, elle s'approcha de lui, écarta les pans de son manteau et glissa sa main entre ses cuisses.

— Je suis sûre qu'aucune femme ne t'a jamais pris dans sa bouche pendant que tu conduisais, n'est-ce pas ?

— Non, jamais.

Inspirant profondément, il leva son pied de l'accélérateur.

— Trudy, ne me fais pas avoir un accident.

Elle murmura.

Je tiens à te faire la totale. Toute coucherie dans une voiture commence par quelques caresses spécifiques sur le siège avant… Mais toi tu as l'air déjà prêt.

Il tremblait d'excitation.

Avoir une femme qui caressait son sexe tandis qu'il était en train de conduire était une sensation magnifique et terrifiante à la fois. Il avait du mal à respirer. Quant à conduire…

— Arrête une minute. Non, enlève ta main.

Il soupira. Il se sentait perdre tout contrôle.

— Est-ce que nous sommes arrivés ?

— Presque. Tu vois ce petit chemin sur la droite ?

— Oui.

Il se sentait totalement désorienté. Conduire ainsi, pantalon baissé et sexe dressé lui procurait de curieuses sensations.

— C'est ici que nous devons tourner, annonça-t-elle. J'espère que la route est praticable.

Il dirigea la voiture le long du chemin.

— Ici ?

— Ici.

Il se gara et éteignit les phares. A l'extérieur, l'obscurité était totale, même les étoiles étaient cachées par les nuages. Ils étaient complètement seuls au cœur de la nuit.

Son cœur battait à tout rompre.

— Et maintenant ? demanda-t-il.

Elle détacha sa ceinture de sécurité et se retourna.

— Je dois pouvoir me glisser entre les sièges, mais j'ai bien peur que tu ne doives sortir pour me retrouver à l'arrière. Et fais attention où tu mets les pieds. Le sol doit être gelé.

Il tremblait tellement qu'il eut du mal à se débarrasser de sa ceinture de sécurité. Il se retourna pour voir ce qu'elle faisait et découvrit une vue hautement excitante. Elle se tortillait pour passer sur le siège arrière et ses fesses nues étaient juste à la hauteur de sa joue.

Il attrapa sa cuisse d'une main.

— Reste ici.

— Rester là ? Mais je suis…

— En parfaite position. Ne bouge pas. S'il te plaît reste exactement comme tu es.

C'était elle qui connaissait les règles du jeu, mais il connaissait lui aussi un moyen de la mettre dans le même état d'excitation que lui. Il voulait essayer de l'inédit. Après tout, c'est ce qu'elle aimait… l'inattendu.

— Tu sais, pour le divertissement sur la banquette arrière… tu dois te trouver *sur la banquette arrière*, répliqua-t-elle.

— Mais j'ai envie d'autre chose pour commencer.

Il n'y avait pas beaucoup de place à l'intérieur de l'habitacle, mais s'il pouvait réussir… à bouger comme il voulait… s'installer entre ses cuisses…

— Ce n'est pas comme cela… qu'on s'y prend habituellement, dit-elle.

Vu la façon dont elle respirait, il était clair qu'elle n'avait plus aucun doute sur ses intentions.

Attrapant ses fesses à deux mains il pencha la tête et la caressa langoureusement avec sa langue… là où il savait que cela lui ferait le plus d'effet.

— … mais j'adore ça, bredouilla-t-elle.

197

Il fit en sorte qu'elle apprécie *vraiment*. Il plongea son visage entre ses cuisses, la caressant avec sa langue jusqu'à la faire crier sans relâche. Le goût qu'il avait sur les lèvres et sa senteur musquée l'excitaient au plus haut point. Il la fit jouir une fois, deux fois… s'efforçant de faire de ce moment le meilleur qu'elle ait jamais passé dans une voiture.

Elle était tellement étourdie de plaisir qu'elle retomba sur le siège comme une poupée de chiffon.

— Oooh Linc… personne ne m'a jamais… jamais rien fait de…

— Parfait.

Il avait tant envie d'elle qu'il en tremblait. Il réussit tout de même à ouvrir la boîte à gants où il attrapa la boîte de préservatifs qu'il y avait déposée quelques heures plus tôt. Les doigts tremblants, il ouvrit le sachet et recouvrit son sexe.

Puis il ferma son manteau et sortit dans le froid. Il faillit glisser sur la glace et se retint à la portière de la voiture. Tout ce qu'il voulait c'était plonger en elle. Il monta à l'arrière de la voiture pour la rejoindre. Trudy était étendue de tout son long sur la banquette.

Elle haletait toujours.

— Enlève… enlève ton manteau.

Il le jeta sur le siège avant.

— Et ton pantalon.

Cela fut un peu plus compliqué. Mais en quelques secondes tous ses vêtements volèrent sur le siège avant. Des pièces de monnaie tombèrent de ses poches. Entre-temps Trudy s'était assise à l'autre extrémité de la banquette.

— Allonge-toi, murmura-t-elle, et plie les genoux. Laisse-moi m'asseoir sur toi.

Il n'avait aucune envie de discuter.

Lorsqu'il fut en position, elle vint sur lui et s'assit sur son sexe dressé. Ah. C'était le paradis. Il aurait voulu que cet instant ne cesse jamais.

198

Elle commença à onduler sur lui, ses fesses caressant ses cuisses. Puis elle se mit à déboutonner sa chemise.

— Comment préfères-tu ? Lentement… ou plus vite ?

— Est-ce que j'ai le choix ?

Elle lui fit un large sourire tout en lui caressant la poitrine.

— Tout homme ayant fait jouir une femme comme tu viens de le faire a droit à tout ce qu'il veut.

Ses caresses l'excitaient, mais ses paroles eurent encore plus d'effet. Aucune femme ne lui avait jamais fait un tel compliment. Mais aucune ne l'avait autant inspiré qu'elle.

— Tu as aimé ?

— Oh oui. Je ne considérerai plus jamais l'espace entre les deux sièges avant de la même façon désormais. Alors, dis-moi. De quoi as-tu envie ?

De toi. Pour toujours. Les mots se formèrent d'eux-mêmes dans sa tête. Il eut la présence d'esprit de ne pas les formuler, mais prit également conscience qu'il s'embarquait dans une situation périlleuse. Parce que les choses étaient claires désormais. Il était amoureux d'elle. Bon sang, comment tout cela avait-il pu arriver ? Il voulait qu'elle fasse partie de sa vie, pour le reste de ses jours. Il n'aurait jamais imaginé éprouver de tels sentiments, mais il n'aurait jamais pensé non plus rencontrer une femme comme elle. Et il ne pouvait pas lui faire part de ses sentiments. Sinon, elle s'enfuirait.

Il la regarda.

— Vas-y doucement. Après tout, c'est ma première fois.

Elle commença un rythme lent.

Il avait des crampes et un début de torticolis, mais rien de tout cela n'avait d'importance, car il avait l'impression de faire l'amour pour la première fois de sa vie.

— Enlève ton pull, lui demanda-t-il.

Elle s'interrompit et passa son pull par-dessus sa tête.

— Et ton soutien-gorge.

Arquant le dos, elle le détacha et l'enleva.

Il caressa ses seins et descendit ses mains jusqu'à sa taille. Elle était parfaite et, en cet instant, au beau milieu de cette nuit froide, elle était sienne.

— Je ne peux pas croire que je sois encore excitée, murmura-t-elle. Je croyais que tu avais vidé mes batteries.

— Il me semble que ton énergie est inépuisable.

— C'est possible.

Toujours assise sur lui, elle posa ses mains sur son torse et continua sa danse langoureuse.

— Tu aimes ça ?

— Encore plus que tu ne crois.

— Tu veux que j'aille plus vite ?

Il ne pourrait pas tenir beaucoup plus longtemps, de toute façon. Il attrapa ses hanches à deux mains et plongea son regard dans ses yeux.

— Oui, vas-y.

Elle accéléra ses mouvements et ses lèvres s'entrouvrirent alors qu'elle sentait venir l'orgasme.

Il l'aimait tellement ! Lorsqu'elle poussa ses premiers gémissements, il se laissa glisser dans le plaisir lui aussi. Et lorsqu'ils faillirent tomber de la banquette, il sentit que son cœur, lui aussi, était en chute libre. Et il savait qu'il était déjà trop tard pour le sauver.

Trudy n'eut aucun autre moment d'intimité avec Linc durant tout le week-end. Ils passèrent la plupart du temps à s'amuser dans la neige avec les enfants et le samedi soir ils jouèrent tous ensemble à des jeux de société dont les parties finirent tard, ce qui lui convenait tout à fait. Il n'était pas question qu'elle se trouve de nouveau sur une route abandonnée avec cet homme. Les règles du jeu avaient changé.

Durant la partie, elle réalisa que Linc était une menace réelle pour son plan. Elle avait pensé n'avoir qu'une simple liaison avec un New-Yorkais raffiné. Au début, elle maîtrisait la situation et tout se passait au mieux. Une relation sexuelle fantastique, et aucune attache. Dès que les choses étaient devenues un peu plus intenses, elle avait disparu derrière son paravent et mis de la distance entre eux.

Mais ensuite il lui avait demandé de dîner avec ses parents et depuis elle avait laissé tomber cette histoire de paravent. Et pire, maintenant c'était elle qui l'avait amené ici pour rencontrer ses parents comme s'ils étaient en train de franchir toutes les étapes qui les amèneraient tout naturellement à l'église. Bon sang !

Tout ceci ne l'inquiéterait pas autant si elle n'avait pas noté une certaine expression sur le visage de Linc récemment. Elle l'avait reconnue, car elle commençait à éprouver les mêmes sentiments. Que cela leur plaise ou non, ils étaient en train de tomber amoureux, ce qui était exactement le contraire de ce qu'elle souhaitait. Elle avait acquis si chèrement sa liberté qu'elle ne pouvait pas se permettre de tomber amoureuse du premier homme rencontré. Peu importe qu'il soit beau, agréable, intelligent et doué au lit. C'était tout simplement impossible.

Peu importe que ses parents l'adorent et que ses frères et sœurs le considèrent comme l'homme le plus sympathique qu'ils n'aient jamais rencontré. Peu importe que son cœur saigne à l'idée de ce qu'elle allait devoir faire. Elle avait un plan en route et avait déjà sacrifié beaucoup pour cela. Et il représentait une entrave à ce plan.

Elle devait rompre. Mais c'était impossible avant qu'ils ne partent d'ici. Il avait l'air trop heureux. Et sa famille aussi. Elle ne pouvait pas gâcher le plaisir de tout le monde d'un seul coup. Elle attendrait encore un peu.

Lors du vol de retour à New York, il n'eut de cesse de lui dire qu'il avait passé un week-end fantastique. Elle recula l'instant décisif. Mais lorsqu'ils atterrirent et se dirigèrent vers la file de taxis, elle savait qu'elle n'avait plus le choix. Elle devrait lui annoncer la mauvaise nouvelle durant le trajet.

Après tout, il n'était peut-être pas en train de tomber amoureux autant qu'elle l'était. Cette rupture ne le traumatiserait peut-être pas. C'était ce qu'elle espérait, car elle n'avait pas du tout envie de lui causer de la peine. Tout ce qu'elle voulait, c'était qu'ils ne soient plus aussi proches.

Linc s'installa dans le taxi avec un soupir de contentement.

— Nous devrions nous arrêter chez un traiteur prendre quelque chose pour le dîner.

Oh, mon Dieu ! Il pensait qu'ils allaient dîner ensemble. Dans son esprit, ils formaient déjà un couple. Cela ne jouait pas en sa faveur. Elle se sentit encore plus mal à l'aise. Peut-être pourrait-elle dîner avec lui après tout.

Non, parce qu'après le dîner ils passeraient à leur activité favorite. Il ne fallait pas qu'elle se retrouve de nouveau dans un lit en sa compagnie. Lorsqu'elle était avec lui, elle se sentait beaucoup trop bien, trop heureuse. Tellement heureuse qu'elle pourrait bien laisser échapper des paroles compromettantes. Comme, *je t'aime*. Et une fois que ceci serait prononcé… Comment pourrait-elle se laisser aller à lui faire un tel aveu et continuer ensuite avec ses idées de célibat ?

Elle ferma les yeux. Tout cela était la faute de Meg, et elle allait entendre parler d'elle. Et plus qu'un peu.

Elle soupira. Non, elle n'allait pas passer sa colère sur Meg. C'est contre elle-même qu'elle était fâchée.

— Trudy, quelque chose ne va pas ?

Elle ouvrit les yeux et le regarda. Son cœur cognait dans sa poitrine. A moins qu'elle ne connaisse vraiment rien aux hommes, il éprouvait les mêmes sentiments qu'elle. Cela allait être très, très difficile. Mais elle devait le faire.

— J'ai…, j'ai décidé que nous ne devrions plus nous voir.

Il la regarda comme si elle l'avait giflé.

— Je suis désolée, dit-elle doucement. Je ne pensais pas que nous irions si loin dans cette relation ni que nous nous y impliquerions autant. Je sais que toi non plus, mais c'est ce qui est en train d'arriver.

Il ne disait rien, se contentant de la fixer avec une expression indéchiffrable.

202

Son propre chagrin n'avait pas d'importance, mais elle redoutait par-dessus tout de le blesser.

— Lorsque nous avons commencé, nous disions tous les deux que nous ne voulions pas d'une histoire sérieuse, mais j'ai bien peur que…

Son regard se durcit.

— Qu'est-ce qui te fait croire que je souhaite quelque chose de sérieux ?

Sa question lui coupa le souffle. Elle était sûre qu'il était en train de tomber amoureux d'elle. S'était-elle trompée ? Avait-elle projeté ses propres sentiments sur lui ?

Sa voix était glaciale.

— Je me suis bien amusé avec toi, Trudy. Je suis content d'avoir pu aller visiter Virtue. C'était très éducatif.

Educatif ? Elle aurait parié qu'il avait été séduit par la vie là-bas. En fait, grâce à lui, elle avait, elle aussi, pu en voir les aspects positifs. Elle ne retournerait jamais vivre à Virtue, mais à présent elle reconnaissait qu'elle appréciait sa ville natale.

— Je crois… que je me suis trompée sur tes sentiments, dit-elle.

— Je t'ai dit que je ne voulais pas d'une relation sérieuse. Et c'est toujours le cas. Si tu veux que l'on arrête de se voir, c'est d'accord. Mais je trouve que c'est dommage de gâcher la bonne entente sexuelle que nous avions. Chacun de nous sait ce que l'autre apprécie, alors je ne vois pas pourquoi nous ne pourrions pas continuer à en profiter. A moins que tu ne puisses pas le supporter.

Son cerveau fonctionnait à toute allure. Il était en train de suggérer qu'ils continuent leur relation sexuelle, leur fantastique relation sexuelle comme par le passé. Après tout c'était pour vivre ce type d'aventures qu'elle était venue à New York, non ? Alors pourquoi le fait d'avoir une aventure de la sorte avec lui représentait-il une telle torture ?

Elle essayait de s'imaginer en train de coucher de nouveau avec lui. Puis de disparaître et de le renvoyer chez lui. Sans câlins. Sans conversations. Sans amour.

Cela ne marcherait pas. Impossible de continuer ce genre de relation maintenant qu'elle avait rencontré ses parents, qu'elle l'avait emmené à Virtue, qu'elle l'avait vu debout devant l'évier plein de mousse, faire la vaisselle avec l'aide de tous ses petits frères et sœurs.

Elle le regarda, les yeux brûlant de larmes.

— Je suis désolée, Linc. Je crois que je ne pourrai pas supporter une telle relation.

Quelque chose passa dans ses yeux. De la colère ou de la tristesse ? Elle se débattait tellement avec ses propres émotions qu'elle fut incapable de le savoir. Sans un mot, il détourna son regard. Il ne prononça plus une seule parole, pas même lorsque le taxi s'arrêta devant son immeuble et qu'elle lui dit au revoir.

Mais lorsqu'elle voulut payer sa part de la note, il lui attrapa le poignet et ne prononça qu'une parole.

— Non.

Elle n'eut aucune envie de se battre avec lui. Elle sortit du taxi et se dirigea vers son immeuble.

Partie. Tandis que le taxi se dirigeait vers son domicile, Linc appuya sa tête contre le siège et tenta de faire face à la situation. Il ne réussissait pas à croire que Trudy était sortie de sa vie. Il allait certainement se réveiller dans le lit de Kenny à Virtue et se rendre compte qu'il avait fait un horrible cauchemar. Bien qu'il se soit senti de plus en plus amoureux tout au long du week-end, il avait fait très attention à ne rien faire ni rien dire qui pourrait le trahir.

Mais Trudy avait deviné de toute façon. Et comme il s'en était douté, à peine avait-elle compris ses sentiments qu'elle avait fui. Dans son désespoir de la garder, il lui avait proposé de reprendre une relation uniquement sexuelle, mais elle avait vu clair dans son jeu.

Il ne voulait pas l'obliger à quoi que ce soit. Depuis des années, ses parents l'avaient pourtant habitué à cacher ses sentiments. Pourquoi n'avait-il pas réussi à les dissimuler cette fois-ci ?

La réponse était simple. Il n'avait jamais eu à dissimuler des sentiments aussi forts. Et visiblement il en était incapable. Et elle était partie.

Durant les deux semaines suivantes, Linc se réfugia dans le travail et dans le sport. Il joua un nombre incalculable de parties de tennis. Il jouait avec Tom tant que celui-ci ne lui parlait pas de Trudy.

Ce lundi matin-là, il ne s'attendait pas du tout à voir Meg débarquer dans son bureau. Elle avait l'expression de celle à qui on ne la fait pas.

Elle ferma la porte de son bureau et se retourna vers lui, les poings sur les hanches, sans sourire.

— Qu'est-ce qui ne va pas ? Tu crois que jouer les gros bras sur les courts de tennis va t'apporter quelque chose ?

— Je ne cherche rien. Je fais juste un peu de sport.

— A d'autres ! Je sais ce qui ne va pas, mais ce que je ne comprends pas c'est pourquoi tu n'as pas appelé Trudy.

Il la fixa du regard.

— Pourquoi devrais-je l'appeler ? Elle ne veut pas me voir. Elle a été très claire à ce sujet.

Meg soupira.

— Et toi tu crois que c'est ce qu'elle veut réellement ?

— Bien sûr que c'est ce qu'elle veut. Mademoiselle veut être libre !

— Je peux m'asseoir ?

Meg prit elle-même une chaise derrière le bureau.

— Nous devons parler.

19.

Ras-le-bol des rendez-vous minables ! Mais où étaient donc passés tous les superbes mâles qu'elle était supposée rencontrer à New York ? Après huit soirées avec huit hommes différents, Trudy commençait à se poser sérieusement la question. En apparence ils semblaient tous très attirants, mais après une heure passée en leur compagnie, Trudy n'avait qu'une envie, rentrer chez elle. Seule…

Leurs yeux n'étaient pas aussi bleus que ceux de Linc et leurs épaules n'étaient pas aussi larges. Ils n'avaient aucun sens de l'humour ou au contraire, riaient à tout propos. Ils monopolisaient la conversation, ne parlant que d'eux-mêmes ou bien restaient muets comme des carpes.

Elle n'avait même pas éprouvé suffisamment d'envie pour en embrasser un seul. Sans parler de les inviter dans son appartement. Son plan n'était pas aussi amusant qu'elle l'avait cru. Meg avait essayé de la convaincre d'appeler Linc et de reprendre leur relation, là où ils l'avaient laissée, mais sa fierté l'en avait empêchée.

En fait il s'agissait bien plus que de fierté. Finalement le sexe pour le sexe n'avait plus aucun charme à ses yeux. Mais elle ne voulait pas se marier. Elle n'en avait aucune intention. Ceci dit, si elle devait prendre en considération l'idée même de mariage, alors, il lui fallait bien admettre que Linc serait l'homme idéal.

Il est vrai qu'elle avait fait plusieurs rêves récemment qui incluaient alliance et robe de mariée. Mais cela ne voulait rien dire. Alors pourquoi regardait-elle Meg et Tom avec autant d'envie ? Et pourquoi son appartement lui semblait-il si triste sans Linc ?

Linc qui ne voulait pas entendre parler de mariage.

Lorsque le téléphone sonna, elle espéra que ce n'était pas un des hommes avec qui elle était sortie récemment. Elle leur avait bien fait comprendre à chacun qu'elle n'avait aucune intention d'aller plus loin. Apparemment, dans cette ville un seul homme était capable de faire son bonheur. Mais lui ne voulait pas d'une relation stable. Zut, zut, zut. Il fallait bien qu'elle se rende à l'évidence. Elle était prête à s'engager.

Elle répondit au téléphone et entendit la voix de l'homme qui hantait ses rêves et ses fantasmes. Son cœur battait la chamade et elle essaya désespérément de se calmer.

— Bonjour, Linc, dit-elle.

Elle imaginait déjà un million de raisons pour lesquelles il l'appelait. S'il téléphonait pour qu'ils se retrouvent afin de discuter de leur fameuse liaison-sans-attaches, elle accepterait aussitôt. Tout ce qu'elle souhaitait, c'était être de nouveau avec lui. Quelles que soient les conditions. Sans lui, elle n'était qu'une loque. Elle n'arrivait même plus à dormir. Son lit était trop grand, trop vide et trop chargé de leurs étreintes.

Il toussa pour s'éclaircir la voix.

— Je… Je me demandais si je pourrais récupérer mon manteau.

Quoi ? Tout ce qu'il voulait, c'était son manteau ? Elle en était déjà à imaginer une relation plus sérieuse, elle en était à envisager de briser ses plans à cause de lui, *pour lui* et tout ce qu'il voulait, c'était récupérer son manteau ?

Elle avait déjà pensé à le lui rendre, mais n'avait pu se résoudre jusqu'à maintenant à s'en séparer. Il lui rappelait tellement de souvenirs.

— Je suppose que tu veux également récupérer ta table et tes chaises, répondit-elle, incapable de dissimuler le sarcasme dans sa voix.

— Non, tu peux les garder. Je te les laisse. Je ne m'en suis jamais servi de toute façon. Mais j'ai besoin de mon manteau.

Elle savait déjà comment le lui rendre sans avoir besoin de le rencontrer.

— D'accord. Je donnerai le manteau à Meg qui le donnera à Tom qui…

— Je n'ai pas l'intention d'attendre si longtemps. Je veux que tu me l'apportes ce soir.

— Ce soir ?

Il était bien pressé…

— Oui, ce soir. Dès que tu peux.

Mais pour qui se prenait-il à la fin ? Cela lui plaisait tant que cela de jouer les dictateurs ? Finalement c'était aussi bien que leur relation ne soit pas allée plus loin. En y réfléchissant, il aurait même peut-être été un mari très autoritaire.

Elle allait devoir payer un taxi pour venir jusque chez lui, mais cela n'avait pas l'air de le déranger.

— Très bien. Je te l'apporte tout de suite.

Elle se retint de ne pas ajouter *Votre Majesté*.

Elle raccrocha et se dirigea vers son placard où elle prit le manteau. Une pensée lui traversa l'esprit. Comment se faisait-il qu'il ait autant besoin de ce manteau ? Linc Carlyle Faulkner, quatrième du nom, avait une garde-robe suffisamment conséquente pour choisir un autre manteau.

En fait, elle comprit qu'il voulait la voir. Sur le chemin de retour de l'aéroport, il lui avait bien fait comprendre qu'il n'avait rien contre le fait de continuer leur relation sexuelle.

Très bien. Elle allait prendre le risque. Deux semaines sans lui l'avait mise complètement à plat. Il suffisait de réduire la fréquence de leurs rencontres. Elle coucherait avec lui ce soir, puis laisserait passer deux nuits sans le voir. Puis, nouvelle partie de jambes en l'air et de nouveau trois jours de répit. Elle arriverait peut-être même à se passer de lui une semaine entière. Qui sait ?

Elle allait faire d'une pierre deux coups. Lui rapporter son manteau et essayer son lit. Elle en frissonna d'avance. Puis elle prit une profonde inspiration. Aussi amoureuse et aussi folle de son corps fût-elle, il ne devait pas le savoir.

Elle enfila sa parka, attrapa le trench de Linc et se dirigea vers l'ascenseur. En moins de deux, elle était dans un taxi et se dirigeait vers son immeuble. Elle frissonnait de nouveau. Elle inspira profondément plusieurs fois et essaya de se composer une attitude chic et blasée. *Si tu veux atteindre ton but, n'hésite pas à faire semblant.* C'était l'occasion de mettre sa fameuse devise en pratique.

Le temps qu'elle se retrouve devant la porte de Linc, elle avait inspiré profondément tant de fois que la tête lui tournait. La porte s'ouvrit mais elle ne vit personne à part des ombres vacillant sur les murs.

— Linc ?

— Entre.

Elle ne le voyait toujours pas, mais c'était bien sa voix. Elle pénétra dans le vestibule. Les ombres flottant sur les murs venaient des bougies votives qui entouraient la statue qu'elle aimait tant. Avec toutes ces petites lumières autour d'elle, on aurait dit un autel érotique. Elle frissonna.

— Merci d'être venue.

Linc sortit de l'ombre.

Elle déglutit.

Il se tenait devant elle, vêtu d'un étroit pantalon en cuir noir lacé à la taille. Entre ses cuisses, un renflement conséquent révélait son excitation. Il portait aussi une veste en cuir sur son torse nu… et un masque noir. Un frisson de passion animale la parcourut.

Ainsi elle avait raison. Il voulait continuer leur relation sexuelle. Jamais elle n'aurait imaginé qu'il aurait lui-même mis un scénario en place.

Il ferma la porte à clé.

C'était lui qui dirigeait les opérations et elle ne connaissait pas son rôle.

Le cœur battant, elle lui tendit son manteau.

— Je... je te l'ai rapporté.

Derrière le masque, ses yeux la scrutaient.

— Très bien. Maintenant je veux que tu enlèves tous tes vêtements et que tu enfiles le manteau.

Il fit un signe en direction du salon.

— Je t'attends là-bas.

— Et si je ne veux pas ?

Il la regarda intensément.

— Je sais que tu en as envie. Autant que moi.

Elle était ébahie de la façon dont il menait les choses. Ebahie et excitée. Elle avait toujours pensé que c'était à elle de mettre leurs fantasmes en scène, mais Linc en avait visiblement certains qu'elle n'avait jamais imaginés. Il serait une source éternelle de surprise même après des années de... oh, non, il ne fallait pas qu'elle pense à un futur en commun.

Tout ce qu'elle pouvait partager avec lui, c'était le présent. Et un manteau en cuir qui n'attendait plus qu'elle. Elle retira ses vêtements comme il le lui avait demandé et les laissa en pile à côté d'un gué-ridon. Déjà humide d'excitation, elle enfila le manteau et noua la ceinture autour de sa taille. C'était si agréable, si sensuel. Pourquoi n'y avait-elle pas pensé plus tôt ?

Elle jeta un coup d'œil à la statue, espérant y puiser un peu de courage.

— Porte-moi chance, lui murmura-t-elle.

Puis elle se dirigea vers le salon.

Des bougies étaient disposées tout autour de la pièce créant une irrésistible atmosphère mystérieuse. Le salon n'avait plus cette allure chargée et compassée qu'elle avait constatée lors de sa première visite.

Peut-être était-ce cet homme qui se tenait dos à la fenêtre qui donnait un air tellement sulfureux à toute la scène ?

— Assieds-toi là.

Il lui indiqua un canapé victorien recouvert de velours bordeaux.

Elle suivit ses ordres, ses pieds nus s'enfonçant dans un épais tapis d'Orient. Elle était incroyablement excitée.

— Maintenant, allonge-toi et ouvre lentement ton manteau. Très lentement.

Le cœur battant, elle s'étendit de tout son long sur le sofa, posant sa tête sur un coussin. Fixant des yeux la sombre silhouette, elle dénoua peu à peu la ceinture du manteau. Elle ne voyait pas ses yeux, mais les sentait sur elle, dévorant chaque parcelle de son corps. Lorsqu'elle eut terminé, elle était allongée, le manteau complètement ouvert.

Sa voix était lourde et chargée de désir.

— Maintenant…

Il s'interrompit et s'éclaircit la voix.

— Je veux te regarder en train de te caresser… jusqu'à l'orgasme.

Son cœur tambourinait dans sa poitrine.

— Et si je ne veux pas ?

— Fais-le, ordonna-t-il. Puis il reprit avec beaucoup plus de douceur. Fais-le pour moi.

Fermant les yeux elle glissa une main entre ses cuisses. Le cuir de la manche lui caressait la peau. Il voulait la voir abandonnée. Elle allait lui montrer à quel point elle pouvait l'être. Elle posa son autre main sur son sein et commença à en caresser la pointe. Puis elle laissa sa main courir sur cette partie si intime et si humide… qui réclamait tellement de caresses. Les soupirs rauques de Linc lui rappelèrent sa présence. Savoir qu'il la regardait accrut son excitation. Elle commença à haleter et se caressa de plus en plus vite. L'odeur du cuir l'excitait, et les yeux fermés, elle s'imaginait que c'était lui qui la caressait et l'amenait à l'orgasme.

Elle commença à se tordre et à s'agiter sur le sofa. Ses cuisses commencèrent à trembler. Puis elle se cabra, poussa un cri perçant, envahie par un puissant orgasme.

Il était tout près d'elle maintenant.

— Oui, oui, mon amour, dit-il.

Elle tremblait toujours de plaisir. Il s'approcha encore et commença à délacer son pantalon.

Il lui écarta délicatement les cuisses et la pénétra. Enfin.

— Regarde-moi, mon amour, demanda-t-il.

Mon amour. Quelques instants plus tôt elle avait cru avoir imaginé ces paroles. Mais cette fois elle avait bien entendu. Elle plongea les yeux dans les siens, rendus encore plus mystérieux par le masque.

— Je sais que tu veux connaître toutes sortes d'hommes, dit-il. Laisse-moi être tous ces hommes. Dis-moi quel est ton fantasme et je deviendrai ton fantasme. Je t'aime, Trudy. J'ai besoin de toi. S'il te plaît, donne-moi la chance de te prouver que je peux faire ton bonheur.

Elle était sans voix. *Il l'aimait ?*

— Peut-être que toi tu ne m'aimes pas encore, mais cela viendra. Meg dit que tu m'aimes déjà, mais…

— Meg parle trop, répondit-elle.

— Alors, elle a tort ?

Le petit éclat dans ses yeux s'enfuit.

Trudy se cacha le visage entre les mains. Son cœur débordait d'amour pour cet homme si doux, si sexy.

— Non, murmura-t-elle. Elle a raison.

— Tu en es sûre ?

— Oui, mais j'aurais bien aimé te le dire moi-même.

— Elle a vraiment raison ? Sur tout ?

212

Son sourire était devenu éblouissant.

— Quel tout ?

— Que tu veux bien te marier avec moi.

— Comment Meg peut-elle savoir cela ? Je ne le savais pas moi-même il y a deux heures.

— Alors, tu veux bien ?

— Oui.

Elle s'abandonnait à l'inévitable. Rien n'était plus important que de passer le reste de sa vie avec cet homme.

— Je n'y crois pas, dit-il.

Il commença à aller et venir en elle très lentement.

— Je t'aime tellement.

— Je t'aime aussi. Elle sentait la douce caresse du cuir entre ses cuisses.

— Tu as encore ton pantalon sur toi, lui fit-elle remarquer.

— Tu aimes ça ?

— J'adore.

Il la pénétra plus vigoureusement.

— Je peux être chaque homme que tu souhaites. Chaque fantasme.

Elle sentit monter un nouvel orgasme.

— Je crois que… oooh… c'est si bon… je veux que tu sois… le mari de mes fantasmes.

Elle passa ses bras autour de lui et le serra très fort contre elle.

Et voilà, tous ses beaux plans étaient une fois de plus à l'eau ! Trudy attrapa un autre gobelet de champagne et regarda la piste de danse, admirant son mari en train de danser avec sa petite sœur Deena. Jamais elle n'aurait imaginé que moins de six mois après être partie pour New York elle serait de retour à la ferme… pour assister à son propre mariage.

Et elle n'aurait jamais cru que cela la rendrait si heureuse.

Même ses beaux-parents, si snobs, assistaient à la cérémonie.

Meg s'approcha d'elle et lui fit signe.

— Tes beaux-parents ont l'air de se dégeler un peu.

— Oui, je crois.

Elle prit une autre gorgée de champagne.

— C'est grâce à toi. Tu as accompli un petit miracle.

— Linc m'a dit de ne pas me faire trop d'illusions sur leur réconciliation.

Meg glissa son bras autour de la taille de Trudy et lui sourit.

— Il a raison, mais on ne sait jamais.

Trudy regarda sa demoiselle d'honneur.

— Je devrais te mettre sur le coup. Ils se réconcilieraient en moins de deux.

Meg souriait.

— Au fait, il y avait quelque chose qu'il faut que je te dise, C'est quoi déjà ? Ah oui, je sais. *Je te l'avais bien dit.*

Trudy lui fit les gros yeux.

— Oui, pour la cinq cent quarante-deuxième fois.

— Ça t'apprendra. Après la façon dont tu m'as cassé les pieds quand je sortais avec Tom. A propos de mon cher et tendre, regarde-le un peu danser joue contre joue avec Meredith dans les bras. Il est complètement dingue de notre petit bout de chou.

Trudy regarda avec envie le bébé de Meg.

— Tu ne nous laisses même pas jouer les baby-sitters, Linc et moi.

Meg sourit.

— Vous n'avez qu'à concevoir votre propre enfant.

— Hé, attends un peu. Tu viens juste de nous marier. N'essaie pas de nous plonger déjà dans les histoires de bébé. Je veux avoir un peu de temps libre pour m'amuser avec mon mari.

— Si c'est vraiment ce que tu veux…

Trudy regarda son amie. Sa meilleure amie, mais parfois tellement, tellement énervante.

— Ne t'avise pas de parler à Linc de ces histoires de bébé.

— Je n'ai pas besoin de lui dire quoi que ce soit. Il suffit de voir la façon dont il contemple Meredith.

Trudy regarda son mari, visiblement attendri par la petite fille de Meg. Il lui vint à l'esprit que cela faisait déjà plusieurs fois qu'il lui disait qu'il en avait assez d'utiliser des préservatifs.

— Détends-toi, lui dit Meg. Avec un homme tel que lui, les petits jeux dureront toujours.

— Il est temps de danser avec moi, madame Faulkner.

Linc apparut et lui tendit la main.

Elle plongea son regard dans le sien, ne réussissant pas à croire qu'ils étaient mari et femme.

— Est-ce que tu n'as pas l'impression que l'on va se réveiller et se rendre compte que tout cela n'était qu'un rêve ? lui demanda-t-elle tandis qu'ils glissaient sur la piste en musique.

Il la regarda tendrement.

— Je ne le souhaite pas. Ceci est mon fantasme réalisé.

— Le mien aussi.

Elle mit les mains derrière son cou.

— Est-ce que Meg a essayé de te convaincre que nous devrions bientôt avoir un bébé ?

Il sourit.

— Oui.

Trudy avait l'impression de combattre une cause perdue.

— Alors, elle t'a convaincu ?

Il lui sourit de nouveau.

— Oui.

— Linc. Tu sais bien que je veux attendre.

Mais son corps tremblait déjà à l'idée de faire l'amour avec lui et de concevoir un enfant.

215

— Je sais, murmura-t-il tout contre son oreille. On continuera d'utiliser des contraceptifs, si tu veux.

— Je le veux.

Enfin c'était ce qu'elle pensait. Plus ou moins.

— Jusqu'à…, murmura Linc.

— Jusqu'à quoi ?

— Jusqu'à… je ne sais pas. Disons jusqu'à notre lune de miel… Je sais que parfois tu aimes agir sur un coup de tête…

Et elle sut, enlacée, là dans ses bras, que c'était tout ce qu'elle voulait.

Le nouveau visage
de la collection Or

◆

AMOURS D'AUJOURD'HUI

Afin de mieux exprimer sa modernité et de vous séduire encore davantage, votre collection Or a changé de couverture et de nom depuis le 1er mars 1995.

Rassurez-vous, les romans, eux, ne changent pas, et vous pourrez retrouver dans la collection **Amours d'Aujourd'hui** tous vos auteurs préférés.

Comme chaque mois, en effet, vous y attendent des héros d'aujourd'hui, aux prises avec des passions fortes et des situations difficiles...

COLLECTION
AMOURS D'AUJOURD'HUI :
Quand l'amour guérit des blessures de la vie...

Chère lectrice,

Vous nous êtes fidèle depuis longtemps?
Vous venez de faire notre connaissance?

C'est pour votre plaisir que nous avons
imaginé un rendez-vous chaque mois
avec vos auteurs préférés, vos
AUTEURS VEDETTE dans les
collections Azur et Horizon.

Les **AUTEURS VEDETTE** vous
donneront rendez-vous pour de
nouveaux livres vedette.

Pour les reconnaître, cherchez
l'étoile ... Elle vous guidera!

Éditions Harlequin

LE FORUM DES LECTEURS ET LECTRICES

CHERS(ES) LECTEURS ET LECTRICES,

VOUS NOUS ETES FIDÈLES DEPUIS LONGTEMPS?

VOUS VENEZ DE FAIRE NOTRE CONNAISSANCE?

SI VOUS AVEZ DES COMMENTAIRES, DES CRITIQUES À
FORMULER, DES SUGGESTIONS À OFFRIR, N'HÉSITEZ
PAS... ÉCRIVEZ-NOUS À:

> LES ENTERPRISES HARLEQUIN LTÉE.
> 498 RUE ODILE
> FABREVILLE, LAVAL, QUÉBEC.
> H7R 5X1

C'EST AVEC VOS PRÉCIEUX COMMENTAIRES QUE NOUS
ALLONS POUVOIR MIEUX VOUS SERVIR.

DE PLUS, SI VOUS DÉSIREZ RECEVOIR UNE OU
PLUSIEURS DE VOS SÉRIES HARLEQUIN PRÉFÉRÉE(S)
À VOTRE DOMICILE, NE TARDEZ PAS À CONTACTER LE
SERVICE D'ABONNEMENT; EN APPELANT AU
(514) 875-4444 (RÉGION DE MONTRÉAL) OU 1-800-667-4444
(EXTÉRIEUR DE MONTRÉAL) OU TÉLÉCOPIEUR
(514) 523-4444 OU COURRIER ELECTRONIQUE:
AQCOURRIER@ABONNEMENT.QC.CA OU EN ÉCRIVANT À:

> ABONNEMENT QUÉBEC
> 525 RUE LOUIS-PASTEUR
> BOUCHERVILLE, QUÉBEC
> J4B 8E7

MERCI, À L'AVANCE, DE VOTRE COOPÉRATION.

BONNE LECTURE.

HARLEQUIN.

VOTRE PASSEPORT POUR LE MONDE DE L'AMOUR.

COLLECTION HORIZON

Des histoires d'amour romantiques qui vous mènent au bout du monde!

Découvrez la passion et les vives émotions qu'apportent à la Collection Horizon des auteurs de renommée internationale!

Captivantes, voire irrésistibles, ces histoires d'amour vous iront assurément droit au coeur.

Surveillez nos trois nouveaux titres chaque mois!

ROUGE PASSION

**De fiévreuses histoires
d'amour sensuelles!**

De provocantes histoires
d'amour passionnées et
romantiques qu'on lit d'une
seule traite. Aventureuses,
parfois humoristiques, et
sensuelles, elles mettent en
vedette des hommes et des
femmes d'aujourd'hui.

**ROUGE PASSION...
trois nouveaux titres
chaque mois.**

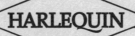

HARLEQUIN

COLLECTION
ROUGE PASSION

- Des héroïnes émancipées.
- Des héros qui savent aimer.
- Des situations modernes et réalistes.
- Des histoires d'amour sensuelles et provocantes.

LAISSEZ-VOUS TENTER
par 3 titres irrésistibles
chaque mois.

RP-1-R

L'ASTROLOGIE EN DIRECT
TOUT AU LONG
DE L'ANNÉE.

(France métropolitaine uniquement)

Par téléphone 08.92.68.41.01

0,34 € la minute (Serveur SCESI).

Composé et édité
PAR LES ÉDITIONS HARLEQUIN
Achevé d'imprimer en décembre 2003

BUSSIÈRE

GROUPE CPI

à Saint-Amand-Montrond (Cher)
Dépôt légal : janvier 2004
N° d'imprimeur : 37334 — N° d'éditeur : 10322

Imprimé en France